El PODER SANADOR *de Jesús*

Robert Abel

Valentine Publishing House
Denver, Colorado

Valentine Publishing House LLC
P.O. Box 27422
Denver, Colorado 80227

Diseño de portada: *Desert Isle Design LLC*

Título original en inglés: *The Healing Power of Jesus*

Información editorial para catalogar:
Abel, Robert.
El poder sanador de Jesús / Robert Abel.

p.:ill.; cm.

ISBN–10: 0-9796331-9-2
ISBN–13: 978-0-9796331-9-5
Incluye referencias bibliográficas

1. Sanación espiritual. 2. Sanación – aspectos religiosos – cristianismo.
3. Fe – Enseñanzas bíblicas. 4. Lucha espiritual. I. Título.

BT732.5 .A24 2012
234/.131

Impreso en los Estados Unidos de América.

Índice

Un gentío muy numeroso se acercó a él trayendo mudos, ciegos, cojos, mancos y personas con muchas otras enfermedades. Los colocaron a los pies de Jesús y él los sanó. La gente quedó maravillada al ver que hablaban los mudos y caminaban los cojos, que los lisiados quedaban sanos y los ciegos recuperaban la vista; todos glorificaban al Dios de Israel.

Mateo 15,30–31

Introducción

Al principio Dios creó el cielo y la tierra. El Espíritu del Señor le habló a la arcilla del suelo y dijo: *"Hagamos al hombre a nuestra imagen y semejanza".*[1] Inmediatamente surgió un hombre perfecto. Se llamaba Adán y fue creado en completa unidad, belleza y armonía con su Creador.

Entonces Dios dijo: *"No es bueno que el hombre esté solo, voy a hacerle una auxiliar a su semejanza".*[2] Y el Señor hizo caer sobre el hombre un sueño profundo. Tomó una de sus costillas y llenó con carne el lugar vacío. Y de la costilla que el Señor había tomado del hombre, el Señor formó una mujer.

Adán no nació lisiado. Eva no tenía distrofia muscular. No sufría de fibromialgia o asma. A Adán no le dio cáncer o leucemia. Fueron creados a imagen y semejanza de Dios, con una salud, belleza y fortaleza perfectas.

Cuando Adán y Eva se rebelaron contra Dios y cometieron el primer pecado, el mal penetró en el mundo y separó al ser humano de las bendiciones y protección de Dios.

Dios —siendo espíritu, amor, luz y verdad puro— no podía seguir relacionándose con sus hijos amados de la misma manera. Una vez que Adán y Eva fueron separados de la protección de Dios, el mal comenzó a atacarlos con toda clase de enfermedades espirituales y físicas.

Dios, en su tierno amor, diseñó un plan y se puso inmediatamente a trabajar con todas las generaciones futuras. Intentó convencer a Caín para que ofreciera un sacrificio aceptable y le avisó de un peligro siempre presente, diciéndole: *"En cambio, si obras mal el pecado está a las puertas como fiera al acecho: ¡tú debes dominarlo!".*[3] Desafortunadamente, la presencia de la oscuridad que estaba al acecho a las puertas de Caín lo sometió a él y asesinó a su hermano Abel.

Después de que Caín cometiera el pecado de matar, *la antigua serpiente, conocida como el Demonio o Satanás, el seductor del mundo,*[4] adquirió una influencia aún mayor sobre la humanidad. Junto con esta influencia malvada y mortífera, el pecado, la enfermedad y las dolencias cubrieron toda la tierra. La situación llegó a ser tan mala que Dios llegó al punto de sentirse apesadumbrado de haber creado al ser humano y decidió quitarlo de la faz de la tierra.

Después de comenzar de nuevo con Noé, Dios empezó a trabajar con Abrahán, Isaac y Jacob para crear un sacerdocio real, un pueblo elegido para que fuese suyo. Permitió a los israelitas sufrir durante 430 años la cautividad en Egipto. Realizó muchos milagros poderosos a través de Moisés para liberarlos. Después de partir el mar Rojo, Dios estableció una alianza con ellos diciéndoles: *"Si de veras escuchas a Yavé, tu Dios, y haces lo que es justo a sus ojos, dando oídos a sus mandatos y practicando sus normas, no descargaré sobre ti ninguna plaga de las que he descargado sobre los egipcios; porque yo soy Yavé, que te doy la salud".*[5]

Lo único que los israelitas tenían que hacer era cumplir su parte de la alianza, y al hacerlo recibirían las bendiciones y protección de Dios.

1. Tenían que escuchar atentamente la voz del Señor, su Dios. (¿Practicas la oración contemplativa?)
2. Tenían que hacer lo que es justo a los ojos de Dios. (¿Practicas la obediencia?)
3. Tenían que escuchar los mandatos de Dios y practicar sus normas. (¿Practicas la santidad?)

Si los hijos de Dios continuaban caminando en obediencia y santidad, entonces Dios no permitiría que las fuerzas del mal les infligieran todas las enfermedades que existían en la tierra de Egipto.

Desafortunadamente los israelitas continuaron pecando y por tanto Dios estableció un sistema provisional de arrepentimiento. El sistema funcionó perfectamente durante un tiempo pero poco después los corazones de los israelitas se endurecieron. Cometían pecados constantemente y realizaban constantemente rituales de purificación en el Templo.

Ya que Dios deseaba de sus hijos una mayor santidad, envió al profeta Ezequiel para anunciar la llegada de una nueva alianza: *Los rociaré con un agua pura y quedarán purificados; los purificaré de todas sus impurezas y de todos sus inmundos ídolos.*

Les daré un corazón nuevo y pondré dentro de ustedes un espíritu nuevo. Quitaré de su carne ese corazón de piedra y les daré un corazón de carne. Pondré dentro de ustedes mi Espíritu y haré que caminen según mis mandamientos, que observen mis leyes y que las pongan en práctica. Vivirán en el país que di a sus padres, ustedes serán mi pueblo y yo seré su Dios.[6]

En la Antigua Alianza el castigo por el pecado era la enfermedad, la muerte y las dolencias. En la Nueva Alianza el castigo seguía siendo el mismo, salvo que en lugar de asignar nuestros pecados a una oveja inocente y permitir que este animal pagara la pena de muerte en nombre nuestro, ahora podemos colocar nuestros pecados sobre el inocente Cordero de Dios.

En la plenitud de los tiempos Dios envió a su único Hijo al mundo para que recibiera la pena de muerte a causa de nuestros pecados. El Hijo único de Dios se hizo hombre. Vivió una vida libre de pecado y ofreció su cuerpo para que fuese torturado y crucificado. Libremente aceptó cargar con los pecados y las enfermedades del mundo para que todos aquellos que se arrepientan sean perdonados.

Al aceptar el sacrificio del Señor en la cruz y seguir sus enseñanzas, ahora puedes restablecer una relación perfecta con el Padre. Una vez que restablezcas tu relación con Dios, el poder sanador del Señor no solo brotará en tu vida, sino que también lo hará a través de ti, en la vida de los demás.

El mismo poder milagroso que estaba disponible en la vida de Cristo también está disponible para ti ahora mismo. Lo único que tienes que hacer es entregar completamente tu vida y el proceso de sanación y colocarlos en las manos de Dios.

¿A qué esperas? Jesús es el gran médico. Jesús tocó a todos lo que le pedían ser sanados. Jesús desea que camines junto a él, con una salud y santidad perfectas, ahora y siempre.

Este es el momento. ¡El reino de los cielos está aquí!

1

El poder del deseo

Un día, cuando era joven, Donna estaba bajando un electrodoméstico pesado. Y al hacerlo, se le rasgó una membrana de la cavidad abdominal. De vez en cuando se quejaba del dolor, así que un día le dije: "¿Quieres que recemos para que te sanes?".

"Sí, seguro; como que servirá para algo", dijo.

"¿Qué es mejor, un doctor cosiéndote una malla de plástico en tu cuerpo o el Señor Jesús?".

"Tengo que hacer algo pronto. Está empezando a dolerme de verdad", dijo Donna a la vez que colocaba su mano sobre el estómago.

"El Señor jamás rechazó a quien deseaba ser sanado. Él cargó sobre su cuerpo con todos los pecados y enfermedades del mundo para que tú puedas ser sanada".

"Estoy lista para rezar cuando lo estés tu", dijo Donna.

"El poder sanador de Jesús ya está aquí. Lo único que tienes que hacer es acceder a él. Simplemente cierra los ojos e imagínate a Jesús que viene hacia ti para imponerte sus manos".

Donna cerró los ojos y, transcurridos unos minutos,

se le veía más relajada. Le pedí que colocara sus manos sobre el área que necesitaba ser curada y le ordenamos al desgarro de su cavidad abdominal que se sanase en el nombre, poder y autoridad de Jesús.

"Lo único que necesitas ahora es recibir la sanación por medio del poder de la fe. No importa cómo se sienta. El poder sanador ya ha penetrado tu cuerpo. Simplemente acéptalo y dedica mucho tiempo a la alabanza y acción de gracias".

Al mismo día siguiente estaba llevando una computadora a la casa de Donna y quería ayudarla a instalarla antes de marcharme. Cuando llegó el momento de sacar el monitor de la caja le pedí a Donna que me ayudara.

"No puedo levantar eso; tengo una hernia", dijo.

Durante un momento descendió sobre nosotros un silencio sobrecogedor. "Vamos a ver", dije, "ayer mismo rezamos para que fueras sanada. ¿Tienes una hernia o te ha sanado el Señor? ¿Has aceptado el poder sanador del Señor o quieres usar lo de la hernia como una excusa?".

En lo profundo de su corazón Donna se aferraba a su discapacidad. Con el paso de los años se había acostumbrado a usar la hernia como una excusa para no tener que hacer cosas. El monitor de la computadora no pesaba más de 15 libras y no quiso ni siquiera intentar levantarlo. Dio automáticamente la misma excusa que había usado casi toda su vida.

Jesús conoce nuestras necesidades incluso antes de que las conozcamos nosotros mismos. El poder sanador de Jesús estaba a disposición de Donna, esperando a que ella lo invitara a entrar en su cuerpo en cualquier momento, excepto que Jesús no viola la libre voluntad de nadie. Mientras que Donna tuviera la necesidad, razón o deseo subconsciente de aferrarse a su enfermedad, el poder sanador del Señor encontraría dificultades para fluir en su cuerpo.

Donna tenía que tomar una decisión. ¿Quería entregarse totalmente a las manos sanadoras del Señor o quería aferrarse a las ventajas que estaba recibiendo gracias a su enfermedad?

Una vez que le hablé del poder de la fe, estuvimos hablando mucho rato de su deseo de ser sanada. Después de esta conversación Donna dejó de quejarse de su dolor. Nunca más usó la hernia como una excusa y, hasta hoy en día, se recuperó completamente.

Otra historia acerca del deseo de ser sanado es la de un hombre que vivía en las calles de Jerusalén. Un día, al caer la tarde, cuando Jesús caminaba por la zona del mercado, llegó a una piscina llamada Betesda. Tenía cinco pórticos maravillosos, construidos de bloques de piedra y con ornamentadas piedras clave en la punta de cada arco.

En el centro del patio de adoquines había una piscina grande que se nutría de agua de un manantial. Alrededor de la piscina se congregaba una multitud de enfermos, incluidos cojos, ciegos y paralíticos. Muchos de ellos habían vivido casi toda su vida en esa área pidiendo limosna.

Algunos de ellos se acostaban en el borde del agua, esperando a que una fuerza supernatural removiese el agua de la piscina. La leyenda decía que de vez en cuando un ángel descendía del cielo y tocaba con la punta de sus alas el agua, haciendo ondas en el agua. La primera persona que se sumergiera en la piscina tras la aparición del ángel quedaría sanada milagrosamente.

Cuando Jesús entró en el patio reconoció a un hombre que llevaba allí 38 años. El hombre se había dado por vencido y no tenía la esperanza de ser el primero en meterse en la piscina. No podía caminar y estaba recostado en la zona de sombra junto a la pared de piedra. Su piel estaba morena y encurtida de haber estado la mayoría del tiempo a merced de los elementos. Cuando Jesús se le acercó el hombre lo miró como sorprendido por su presencia. Jesús lo miró a los ojos, viendo más allá de su desanimo, y le dijo: *"¿Quieres sanar?".*[1]

Al principio la pregunta pareció ser algo de mal gusto. El hombre llevaba acostado allá 38 años, esperando recibir el poder sanador de la piscina mágica, y Jesús tenía el atrevimiento de preguntarles: "¿Quieres sanar?".

Tan pronto como Jesús hizo la pregunta el Espíritu Santo comenzó a obrar en el corazón del hombre. Si este recibía la sanación del Señor, entonces ya no tendría excusa alguna para quedarse acostado junto a la piscina todo el día. Todo su estilo de vida tendría que cambiar. Si a partir de entonces no se le iba a permitir pedir limosna entonces quizá tendría que ponerse a trabajar en la cosecha del campo.

Quizá al hombre le gustaba recibir la atención de quienes visitaban la piscina. Quizá le gustaba que los demás sintieran pena por él. Quizá estuviera intentando demostrar lo santo que era al llevar sufriendo como un mártir justo durante 38 años.

A medida que el Espíritu Santo guió al hombre a las profundidades de su corazón, este se dio cuenta de que incluso sus creencias religiosas estaban siendo puestas a prueba. Si Jesús tenía el poder para sanarlo, entonces Jesús era verdaderamente el Mesías de quien todos habían estado hablando. Si aceptaba el poder sanador de Jesús, ¿estaba dispuesto a aceptar también a Jesús como Señor de su vida?

A medida que el amor y la compasión de la presencia de Jesús continuaron penetrando el corazón del hombre, la verdad fue finalmente revelada. Quería la sanación a cualquier costa, pero no sabía cómo recibirla. Por eso dijo: *"Señor, no tengo a nadie que me meta en la piscina cuando se agita el agua, y mientras yo trato de ir, ya se ha metido otro".*[2]

Jesús le dijo: *"Levántate, toma tu camilla y anda".*[3]

E inmediatamente el hombre quedó sanado. Tan pronto como el enfermo aceptó el poder sanador del Señor, quedó sanado. Se levantó, recogió su camilla y comenzó a caminar alabando a Dios.

Si estás enfermo Jesús quiere hacerte la misma pregunta: "¿Quieres sanar?". No puedes aferrarte a tu enfermedad y a la vez esperar que el Señor te sane. No puedes establecer una alianza con tu enfermedad y sufrimiento y a la vez esperar que Jesús te libro de ellos. Jesús nunca viola la libre voluntad de nadie.

Si el lisiado creía que estaba haciendo un favor a Dios estando acostado y sufriendo, entonces sus creencias religiosas habrían impedido que fluyera el poder sanador de Jesús. Antes de que pudiera ser sanado Jesús le tenía que hacer una pregunta muy importante. ¿Quieres ser sanado o quieres permanecer acostado sufriendo?

Si estás enfermo, ¿hasta qué punto quieres verdaderamente ser sanado? ¿Estás dispuesto a aceptar a Jesús como tu Señor, Maestro y Salvador? ¿Estás dispuesto a cambiar tus creencias religiosas sobre la sanación? ¿Estás dispuesto a cambiar tus creencias teológicas sobre el sufrimiento? ¿Estás dispuesto a que Jesús transforme totalmente toda tu vida?

De ser así, quizá quieras dedicar ahora algo de tiempo a la oración e invitar al Señor Jesús a que entre en tu corazón. Pide al Espíritu Santo que te muestre el origen de tu enfermedad. Acércate atrevidamente al trono de la gracia y continúa dirigiéndote a Dios hasta que recibas contestación. Hazlo con toda la pasión necesaria y permanece fiel a cada principio espiritual que aconseja el apóstol Santiago:

Si alguno de ustedes ve que le falta sabiduría, que se la pida a Dios, pues da con agrado a todos sin hacerse rogar. El se la dará. Pero hay que pedir con fe, sin vacilar, porque el que vacila se parece a las olas del mar que están a merced del viento. Esa gente no puede esperar nada del Señor, son personas divididas y toda su existencia será inestable.[4]

Comienza a ir tras Dios con toda tu fuerza. No te des por vencido hasta que no hayas recibido una respuesta del Señor. Pide a Dios que haga brillar la luz del Espíritu Santo en lo más profundo de tu corazón y que te muestre todo aquello que te mantiene apegado a tu enfermedad. Pide a Dios que te muestre cuál es el origen de tu aflicción y cómo es que esta tiene acceso a tu vida. Una vez que recibas respuestas a estas preguntas, pide al Señor que te muestre el siguiente paso en tu proceso de sanación.

2

El poder de la verdad

Un día un capataz me contrató para que hiciera unas reparaciones en un sótano en el que estaba trabajando. Me puse de acuerdo en encontrarme con el supervisor en el lugar de las obras, donde fuimos recibidos por un perro grande y poco amistoso que comenzó a gruñirnos.

"No te preocupes por el viejo Rex", me dijo el supervisor. "Ya verás como se queda sentado ahí haciendo eso todo el día".

Una vez que el supervisor me mostró la viga de acero que había que cambiar se marchó, dejándome solo con mis ayudantes para que terminara el trabajo. No pensé más en el perro hasta que subí las escaleras y me di cuenta de que la puerta del garaje se había quedado abierta.

"¿Dónde está el perro?", pregunté.

"No sé. Salió a la calle", me respondió unos de mis ayudantes.

"Si se escapa el perro del dueño de la casa, ¿no crees que nosotros seremos los responsables? Vete ahora a la calle a buscarlo", le dije.

Tras buscarlo un rato fuera regresé y me encontré al perro en el jardín delantero de la casa. Lo agarré por el collar y comencé a llevarlo hacia el garaje. De repente el perro se detuvo, torció la cabeza y me mordió en el brazo.

Inmediatamente agarre el collar con las dos manos y eché al perro al suelo.

"¡Date prisa y ven acá! Agarra las patas traseras del perro. Tenemos que entrarlo a la casa para llevarlo hasta el jardín de atrás".

Mike vino corriendo lo más rápido que pudo y agarró las patas traseras del perro. Bill fue corriendo delante de nosotros para abrir las puertas. Mientras atravesábamos llevando al perro, este logró de alguna manera morderme el dedo índice izquierdo. Yo no podía sacar mi mano de su boca. Los molares posteriores del perro atravesaron mi guante de cuero, atravesando piel y carne hasta llegar al hueso.

Una vez que logramos dejar al perro en el jardín de atrás, me fui a la cocina para comenzar a limpiarme la herida en el lavaplatos. Tuve que quitarme pelos de perro y pedazos de carne suelta de la herida. Busqué materiales de primeros auxilios en todos los baños de la casa pero no había nada.

No encontré ni siquiera una curita. Lo único que sí encontré fue una botellita de vodka en un armario de la cocina, que fue lo que usé para limpiarme bien la herida. Luego me envolví el dedo con cinta adhesiva gris y regresé al trabajo.

A medida que seguía reparando la viga de acero, mi mano comenzaba a dolerme cada vez más. Al final de la jornada mi mano se había hinchado tanto que no podía ni siquiera doblar el dedo.

Al terminar de trabajar esa noche me fui al doctor y le conté lo que me había pasado. El médico me dijo: "Nos tomamos muy en serio las mordeduras de perro; hay toda clase de bacterias en la boca de un perro". El doctor me sumergió la mano en un recipiente de desinfectante y me dijo: "Si te aparecen manchas rojas en el brazo o si sigue hinchándose vamos a tener que ingresarte en el hospital para administrarte un tratamiento intravenoso".

Podía sentir como surgían en mí momentos de temor. Se me empezó a enrojecer la cara a medida que el doctor me explicaba todos los peligros que podía conllevar una herida por mordedura de perro. Después de darme una lección de cinco minutos se salió de la habitación mientras yo me quedaba remojando el dedo más tiempo. A penas se marchó empecé a rezar para someter al espíritu del temor y a todas las palabras maliciosas que estaban siendo dichas contra mí.

Al día siguiente, cuando llamé al supervisor para explicarle la situación, este me dijo: "Más te vale haberte tomado toda la penicilina. Las mordeduras de perro son cosa seria. Podrías hasta perder la mano".

"En la farmacia no tenía toda la penicilina", le dije. "Solo pudieron darme la mitad de lo que me recetó el médico. ¿Podrían ustedes pagar el resto de la receta?".

"¿Cuánto te valdría la mano si te la tienen que amputar? Si no te tomas toda la penicilina la infección se extenderá por todo tu cuerpo".

Después de colgar el teléfono ejercí autoridad sobre todas las palabras negativas y de maldición que el supervisor me había dirigido. Mi mano se estaba recuperando bien, pero mi corazón había sido herido. Estaba furioso con el perro por haberme atacado. Estaba furioso con mis ayudantes por haber dejado la puerta abierta. Tenía miedo de todas las advertencias que me había hecho el médico. Y no quería gastarme más dinero en penicilina.

Pasadas unas semanas llamé a la compañía de seguros del dueño de la casa para ver si me podían reembolsar los gastos. Una vez que expliqué la situación al agente este me dijo: "La cobertura es solo de $5.000".

Una vez que la compañía de seguros pagó mis gastos médicos acordamos una compensación de $1.000. El agente de seguros me envió un documento para eximirlos de cualquier responsabilidad y que tenia que firmar un testigo, por lo cual se lo envié a mi abogado para que lo revisara.

Unos días más tarde el agente me llamó y preguntó si le había enviado el documento firmado. "¿No lo llamó mi abogado?", le pregunté.

"¿Qué abogado? ¿Le firmó algún papel?".

"El dedo aún me duele y creo que el nervio me ha quedado dañado. Cuando levanto peso tengo una sensación extraña que antes no tenía. Cuando arrugo una hoja de papel, por ejemplo, siento algo raro".

"¿Por qué no va otra vez al médico y le pide que le de un certificado de discapacidad? Entonces podremos renegociar el acuerdo".

Mi médico me dijo que mi mano se estaba recuperando adecuadamente, pero como le insistí en un certificado de discapacidad me sugirió que fuera a ver a un especialista en discapacidades. Miré en el listín telefónico y pedí una cita con la esperanza de encontrar un doctor que me expidiera un certificado diciendo a la compañía de seguros que mi mano había sufrido un daño irreparable.

El segundo médico descubrió un daño menor del nervio y, tras hacerme unos rayos x, me sugirió que fuera a ver a un especialista de manos. Después de visitar a varios doctores más, logré llegar a un acuerdo con la compañía de seguros para recibir más dinero.

El único problema fue que, una vez llegamos al acuerdo, mi mano comenzó a ponerse peor. El daño nervioso menor en mi índice izquierdo se había convertido en un dolor constante en todos mis nudillos. Era como artritis. Parecía como si la bacteria de la boca del perro o los efectos secundarios químicos de la penicilina estuvieran causando artritis en mis articulaciones.

Hasta ese momento no me había tomado muy en serio mi herida. Me había cortado y arañado cientos de veces y siempre me había recuperado sin problemas pero, por alguna razón, esta ver era algo diferente. La artritis acaparaba toda mi atención. Después de dedicarme seriamente a la oración le pedí al Espíritu Santo que iluminara con su luz las profundidades de mi corazón para poder descubrir el origen del problema.

Después de mucha oración me di cuenta de que mi herida era un problema tanto médico como espiritual. Mi situación era parecida a la que la mujer enferma experimentó el día que entró en la sinagoga cuando Jesús estaba enseñando: *Había allí una mujer que desde hacía dieciocho años estaba poseída por un espíritu que la tenía enferma, y estaba tan encorvada que no podía enderezarse de ninguna manera.*[1]

Jesús la vio y la llamó. Luego le dijo: "Mujer, quedas

libre de tu mal". Y le impuso las manos. Al instante se enderezó y se puso a alabar a Dios.[2]

Entonces los líderes de la sinagoga se indignaron porque Jesús estaba sanando en el Sabbat. El Señor respondió a sus objeciones diciendo: *"Esta es hija de Abraham, y Satanás la mantenía atada desde hace dieciocho años; ¿no se la debía desatar precisamente en día sábado?".*[3]

El origen de su condición médica era un espíritu demoníaco. Satanás la había mantenido atada durante 18 largos años. Un espíritu de enfermedad estaba atacando su cuerpo. En espíritu maligno había logrado, de alguna manera, obtener el derecho a entrar en su cuerpo y causarle un problema médico. Una vez que Jesús expulsó al espíritu demoníaco el Espíritu Santo entro en su cuerpo y la mujer comenzó a sanar.

El origen de mi condición médica tenía, igualmente, un origen espiritual y físico. Cuando el perro me estaba mordiendo el dedo yo no estaba lleno de la paz, presencia y gozo del Espíritu Santo. Estaba estresado, actuando con impaciencia para poder terminar el trabajo antes de que llegara el soldador. Estaba furioso con mis ayudantes por haber permitido que se escapara el perro. Estaba herido porque el perro me había destrozado el dedo y, para empeorar la situación, me había limpiado la herida con el vodka del dueño de la casa.

Después de que el Espíritu Santo me mostrara todo esto, más las palabras de maldición de los doctores, decidí ir a ver a un sacerdote y contarle lo que había pasado. Una vez que el sacerdote escucho mi historia le pedí que rezara por la sanación de mi mano, pero aparentemente nada pasó.

Como mi situación estaba empeorando decidí usar un estilo de oración meditativa para invitar al poder sanador del Señor a que se hiciera presente en la situación que había tenido lugar. Comencé por imaginarme a Jesús y a mí aquel día, cuando el obrero furioso estaba luchando con el perro que se defendía.

Cuando la presencia divina de Dios entró en la escena meditativa el obrero furioso se dio cuenta del mal que estaba realizando. Dejó marchar al perro, se giró y se arrodilló. Fijando su vista en los ojos amorosos del Señor le dijo: "Por favor, perdóname. Todo esto esta muy mal. Lo siento".

Una vez que el obrero pidió perdón Jesús sanó al perro. Tam pronto como lo dejé marchar Rex comenzó a lamerme la cara. En la escena meditativa Jesús llenó al perro de amor y este se derramó en mi corazón. Fue un momento de sanación y lágrimas con el Señor muy bello; varios días más tarde mi mano se sentía mucho mejor. Cada vez que regresaba a aquella escena meditativa el perro continuaba lamiéndome la cara.

Aunque mi mano se sentía mucho mejor no se sanó completamente hasta el día en que el Señor me habló por medio de la Sagrada Escritura. Estaba leyendo el versículo que dice: *La verdad los hará libres.*[4] A medida que mis pensamientos se amoldaban a los pensamientos de Dios, el Espíritu Santo me mostró el obstáculo que aún existía y que no permitía que el poder sanador de Dios fluyera en mi mano.

Se me permitía que siguiera experimentando un poco de artritis porque no estaba obrando según la verdad de Dios. Había creado una mentira y, por medio de esa mentira, la enfermedad tenía el derecho a permanecer en mi cuerpo. En lo profundo de mi corazón quería más el dinero de la compañía de seguros que el poder sanador del Señor.

Si de verdad quería la sanación tendría que aceptar la sanación de Jesús. Tendría que poner mi fe en acción y esperar la recuperación de mi mano. En lugar de hacer eso, habría visitado a varios doctores, pidiéndoles que me dieran un certificado de discapacidad, intentando demostrar que mi mano seguía estando enferma y discapacitada permanentemente.

Era culpable de una fe negativa. La fe positiva habría permitido que el poder sanador de Dios fluyera en mi vida. La fe negativa permitió que la artritis continuara. ¿Deseaba la enfermedad y el dinero o deseaba a Dios y la sanación?

No era posible desear que mi mano estuviera enferma y a la vez desear que se sanara. Al aceptar el certificado de discapacidad del doctor y no presentar ante la luz de la verdad de Dios mi engaño, yo estaba permitiendo al espíritu de la enfermedad quedarse en mi cuerpo. Una vez que me arrepentí de mis pecados y reparé el daño causado por mis obras inapropiadas, la verdad de Dios me hizo libre.

Si estás padeciendo una enfermedad grave, el Espíritu Santo te quiere mostrar su versión de la verdad. Cada persona tiene su propia versión de la verdad. Me resultó muy fácil creer que fui la víctima inocente del ataque de un perro vicioso. Pude incluso hacer que muchos doctores apoyasen mi versión de la historia. Pero a los ojos de Dios yo había establecido un acuerdo mediante el engaño. Mi enojo y el pecado de la codicia, junto con mi falta de apertura al poder sanador de Dios, habían abierto la puerta para que un espíritu de enfermedad malvado atacara mi cuerpo.

Si estás enfermo, pide al Espíritu Santo que haga brillar la luz de la verdad en tu corazón. Busca en lo más profundo de tu pasado y examina cada uno de los detalles de tu herida. ¿Cómo era tu relación con Dios antes, durante y después de que la enfermedad entrase por primera vez en tu vida? ¿Aceptaste alguna maldición o formas de fe negativas de otras personas? Si fue así, pide al Espíritu Santo que comience a substituir todas las mentiras con la verdad.

Dedica algo de tiempo ahora a dedicarte seriamente a la oración frente al Señor. Deberías prepararte a afrontar mucha resistencia interior. Si has permitido que entren en tu sistema de creencias mentiras del enemigo, entonces denuncia todas tus formas de ser que son egoístas y que te hacen sentirte superior moralmente a los demás, y pide humildemente a Jesús que te haga libre.

Dios desea desesperadamente hacerte libre. La verdad de Dios tiene el poder de hacerte libre. Busca la verdad con toda tu fuerza y la verdad te hará libre.

3

El poder del creer

Era un día luminoso y soleado cuando Jesús se bajó de la barca. Todo el pueblo había estado esperando su llegada. Antes de que Pedro pudiera amarrar la barca al embarcadero ya se había congregado una gran multitud proveniente de todos los ámbitos sociales.

Una mujer sabía en lo profundo de su corazón que se curaría si lograba simplemente tocar la costura de la túnica de Jesús. Se encontraba en la costa del lago, observado a la multitud acercarse desde la distancia. La suave brisa marina removía su cabello mientras aumentaba la expectación en su corazón.

Cuando Jesús se acercó el poder del Espíritu Santo la inundó. Muchos de los acontecimientos de su vida pasaron antes sus ojos. *Había sufrido mucho en manos de muchos médicos y se había gastado todo lo que tenía, pero en lugar de mejorar, estaba cada vez peor.*[1]

Cada vez que iba a un médico le recomendaba el mismo tratamiento. Los médicos le habían dicho que su enfermedad era incurable. Muchos de los doctores habían dado nombres diferentes a su enfermedad pero todos ellos sonaban amenazadores y con peligro para su vida. Cuanto más creía en su enfermedad más poder adquiría la enfermedad sobre su vida.

Cuando Jesús se acercó, la gran multitud comenzó a rodear a la mujer. Esta aguantó en su lugar a pesar de que la gente la empujaba por los cuatro costados. De repente hubo es espacio libre; le había llegado su oportunidad. Se echó para adelante y, durante un segundo, tocó la túnica de Jesús, pues ella había dicho: *"Si logro tocar, aunque sólo sea su ropa, sanaré".*[2]

Inmediatamente le cesó la hemorragia y sintió en su cuerpo como si hubiese sido sanada de su enfermedad. De repente Jesús se detuvo y se giró. Era plenamente consciente de que el poder sanador había sido transmitido a la mujer pero, por el bien de la multitud y para que la mujer pudiese alabar como correspondía a Dios, Jesús preguntó: *"¿Quién me ha tocado la ropa?".*[3]

Sus discípulos había visto como cientos de personas lo habían estado tocando, por lo que le dijeron: *"Ya ves cómo te oprime toda esta gente ¿y preguntas quién te tocó?".*[4]

Jesús comenzó a buscar a su alrededor y *la mujer, que sabía muy bien lo que le había pasado, asustada y temblando, se postró ante él y le contó toda la verdad.*[5] Jesús le dijo: *"Hija, tu fe te ha salvado; vete en paz y queda sana de tu enfermedad".*[6]

La mujer fue sanada por el poder de su fe. Había muchas personas enfermas entre la multitud aquel día y muchos tocaron al Señor, pero la única que recibió la sanación, la recibió por el poder de su propia fe. En vez de creer en su enfermedad incurable la mujer tomó la decisión de creer en Jesús. Tan pronto como puso su fe en acción, el poder sanador de Jesús fluyó y fue sanada.

La fe es la tubería espiritual que está conectada al poder sanador del Señor. La Carta a los Hebreos dice que *sin la fe es imposible agradarle*[7] a Dios. La fe es más que creer intelectualmente que Jesús tiene el poder de sanar a las personas. La fe es el instrumento que permite en sí mismo que el poder sanador de Dios fluya en nuestra vida.

Jesús, en casi todas las sanaciones que realizó, reconoció que su poder para realizar milagros había sido liberado gracias a la fe de quienes lo recibieron. Por ejemplo, dos hombres ciegos clamaron a Jesús diciéndole: *"¡Hijo de David, ten compasión de nosotros!".*[8]

Jesús les preguntó: *"¿Creen que puedo hacer esto?".*[9]

Contestaron: "Sí, Señor".[10]

Después de que Jesús les tocara los ojos les dijo: *"Hágase así, tal como han creído". Y sus ojos vieron.*[11]

Si los dos hombres hubieran creído con mayor firmeza en su ceguera, entonces su fe negativa había impedido que el poder sanador del Señor fluyera en sus ojos. Tan pronto como los hombres abrieron sus ojos e intentaron ver con todas sus fuerzas, entonces el poder sanador del Señor fluyó por sus nervios ópticos y fueron sanados.

Otro caso de una enfermedad incurable que fue sanada mediante el poder de la fe tuvo lugar en la región de Tiro y Sidón. La hija de una mujer cananea estaba muy enferma. Nadie la podía ayudar porque un espíritu demoníaco estaba atacando su cuerpo de niña. Por ello la mujer se acercó a Jesús y le dijo: *"¡Señor, hijo de David, ten compasión de mí! Mi hija está atormentada por un demonio".*[12]

Al principio Jesús objetó la petición diciéndole: *"No he sido enviado sino a las ovejas perdidas del pueblo de*

Israel".[13] Pero la mujer siguió suplicándole y Jesús le concedió su petición diciéndole: *"Mujer, ¡qué grande es tu fe! Que se cumpla tu deseo".*[14]

Antes de que la niña pudiera ser sanada, su madre tuvo que creer que Jesús tenía mayor poder sobre la influencia demoníaca que el que tenía el espíritu maligno sobre el cuerpo de la niña. Si la mujer cananea hubiera tenido un poco de fe, un poco del poder sanador habría fluido. Pero como ella tenía mucha fe, *en aquel momento quedó sana su hija.*[15]

Otro ejemplo de una enfermedad incurable causada por los espíritus malignos proviene del libro de Job. Satanás se había presentado ante el trono de Dios para obtener permiso antes de atacar a este hombre justo. Sin el permiso de Dios o si Job no hubiera hecho algún acuerdo con el demonio comportándose pecaminosamente, Satanás no habría podido tocarlo, ya que Job *era un varón perfecto que temía a Dios y se alejaba del mal.*[16]

El Señor confiaba tanto en la fidelidad de Job que le dijo a Satanás: *"¿No te has fijado en mi servidor Job? No hay nadie como él en la tierra. Es un hombre bueno y honrado, que teme a Dios y se aparta del mal".*[17]

Satanás respondió: *"¿Acaso Job teme a Dios sin interés? ¿No lo has rodeado de un cerco de protección a él, a su familia y a todo cuanto tiene? Has bendecido el trabajo de sus manos y sus rebaños hormiguean por el país. Pero extiende tu mano y toca sus pertenencias. Verás si no te maldice en tu propia cara".*[18]

Entonces el Señor le dijo a Satanás: *"Te doy poder sobre todo cuanto tiene, pero a él no lo toques".*[19]

Satanás comenzó inmediatamente a atacar a Job. Envió a muchas legiones de ángeles caídos para que destruyeran sus finanzas y fuentes de ingreso y sustento. Estas fuerzas demoníacas atacaron a los criados de Job, sus manadas y rebaños. Tenían incluso el poder de conjurar una tormenta de viento mortal que hizo que se derrumbara un edificio sobre los familiares de Job.

Satanás, una vez que había destruido completamente la vida, finanzas y forma de vida de Job, se presentó una segunda vez ante el trono de Dios y el Señor le dijo: *"¿Te has fijado en mi siervo Job? No hay nadie como él en la tierra; es un hombre bueno y honrado que teme a Dios y se aparta del mal. Aún sigue firme en su perfección y en vano me has incitado contra él para arruinarlo".*[20]

Satanás respondió: *"Piel por piel. Todo lo que el hombre posee lo da por su vida. Pero extiende tu mano y toca sus huesos y su carne; verás si no te maldice en tu propia cara".*[21]

El Señor le dijo a Satanás: *"Ahí lo tienes en tus manos, pero respeta su vida".*[22]

Salió Satán de la presencia de Yavé e hirió a Job con una llaga incurable desde la punta de los pies hasta la coronilla de la cabeza.[23]

Esta llaga era una enfermedad física de origen demoníaco. Espíritus invisibles de enfermedad estaban atacando el cuerpo de Job, haciendo que le surgieran llagas cancerosas. Se había permitido que los espíritus malignos penetraran el cuerpo de Job y le causaran lo que muchos médicos habrían diagnosticado como una enfermedad incurable. Sin el poder sanador de Dios la enfermedad demoníaca habría continuado extendiéndose por todo el cuerpo de Job y no habría habido ningún tratamiento médico que le habría ayudado a recuperarse.

Otro ejemplo de una enfermedad demoníaca proviene del Evangelio según san Lucas, cuando Jesús se encontró con un hombre que no podía hablar. Para que el hombre pudiera ser sanado Jesús aquel día expulsó *un demonio: se trataba de un hombre mudo. Apenas salió el demonio, el mudo empezó a hablar y la gente quedó admirada.*[24] En esta situación un espíritu demoníaco era la causa de que el hombre no pudiera hablar. Cuando el espíritu que estaba atacando las cuerdas vocales fue ordenado que se marchara, el hombre se recuperó.

Otro ejemplo de una enfermedad demoníaca proviene del Evangelio según san Mateo, cuando un hombre le presentó a Jesús a su hijo para que lo sanara. Al niño le habían diagnosticado epilepsia, una enfermedad crónica nerviosa cerebral que afecta el poder estar consciente y el control muscular. Los discípulos trataron de expulsar al demonio pero no podían hacerlo, por lo que Jesús dijo: *"Tráiganmelo acá". En seguida Jesús dio una orden al demonio, que salió, y desde ese momento el niño quedó sano.*[25]

En todos estos casos al paciente se le podría haber diagnosticado fácilmente una enfermedad, pero en todos estos casos el origen del problema era un ataque espiritual. Los espíritus malignos, invisibles y sutiles, habían entrado en la vida de estas personas y les estaban causando problemas médicos graves.

Si estás enfermo, entonces tiene que tomar una decisión: ¿vas a poner tu fe en el diagnóstico de un doctor o vas a poner tu fe en el Doctor divino? ¿Vas a creer en una enfermedad incurable o vas a creer que Jesús tiene el poder sanador de la liberación y el deseo intenso de liberarte?

Si el origen de tu enfermedad provine de una condición espiritual, quizá no puedas recuperarte totalmente salvo que trates la causa raíz de tu condición. Si un espíritu maligno ha estado atacando tu cuerpo con una enfermedad poco común o incurable, como el cáncer, entonces quizá primero tengas que creer en la existencia del demonio antes de que seas capaz de expulsarlo de su cuerpo.

Si crees más en el diagnóstico del doctor que en el poder sanador de Jesús, entonces rompe mediante el poder de Jesús esa atadura inmediatamente. Pronuncia en voz alta estas palabras: "En nombre de Jesús, te denuncio (espíritu del cáncer)". Si un doctor te ha maldecido con un cierto número de días de vida, rompe en nombre de Jesús esa maldición. Pronuncia en voz alta estas palabras: "En nombre de Jesús, rompo tus ataduras que controlan mi vida".

Una vez que hayas terminado de romper todas las ataduras creadas por las maldiciones pronunciadas durante tu vida, dedica inmediatamente varias horas a la oración y pide a Jesús que te muestre el origen de tu enfermedad. Pide al Espíritu Santo que ilumine las profundidades de tu corazón con la luz de la verdad. Reza para que todas las mentiras y engaños del demonio sean destruidos.

Invita al poder milagroso de Jesús a que penetre tu cuerpo, de manera que al creer en su poder sanador divino tú puedas ser sanado.

4

El poder de la fe

Hace muchos años un carro deportivo plateado se me cruzó en la calle. El conductor quería girar a la izquierda pero se dio cuenta de que no iba a tener el tiempo suficiente para hacerlo. Se paró completamente en la calle, bloqueando mi carril. Para cuando frené, ya había recorrido cientos de pies de distancia.

A medida que mi carro se acercaba al otro con una fuerza mortal, mi percepción del tiempo se detuvo completamente. Podía escuchar el sonido de las llantas chirriando sobre el pavimento. Una nube de humo gris densa emergía de debajo de mi parachoques frontal. Podía incluso ver la cara de pánico del otro conductor. Era como si estuviera viéndolo todo en cámara lenta.

Unos pocos segundos antes del impacto torcí bruscamente a la izquierda el timón del carro, pero era demasiado tarde. Mi carro le dio al suyo justo con la fuerza necesaria para que el mío volcara. Tras un fuerte golpe, vi como todo se ponía al revés y mi carro salía volando y cruzaba la mediana de la avenida.

Metal contra metal. El impacto fue devastador. Me estrellé de frente contra un autobús escolar amarillo a 45 millas por hora. La parte delantera del bus quedó doblada como si fuera una arrugada lata de refresco. La

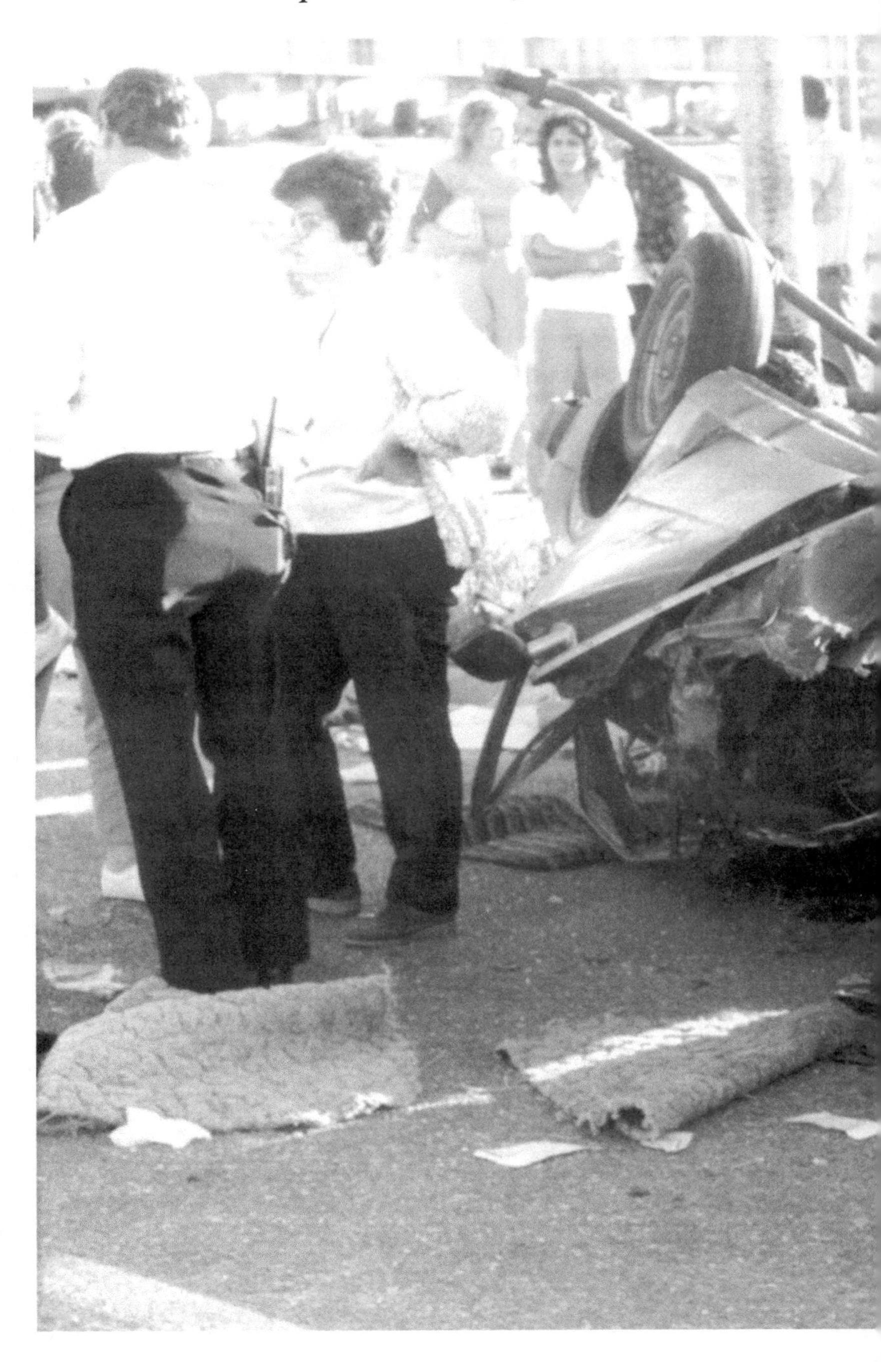

fuerza del impacto hizo que el motor y la transmisión de mi carro salieran volando hasta un campo que había a 100 metros.

Intenté sujetarme pero no llevaba puesto mi cinturón de seguridad. El impacto fue demasiado fuerte. Justo cuando mi frágil cuerpo iba a ser hecho jirones por los afilados y aserrados bordes metálicos y de cristal del carro. . . ¡Dios se apareció!

Tras el incidente me encontré acostado en el pavimento, junto a una rueda delantera. Al abrir los ojos pude ver al agujero grande en el carro por el que había escapado. Dios había abierto milagrosamente un agujero en el lateral de mi carro y me había salvado de una destrucción total.

El accidente bloqueó los cuatro carriles de la venida y pronto mucha gente comenzó a congregarse alrededor. Formaron un círculo en torno a mí y me miraban mientras yo permanecía acostado en la calle rezando. Nadie se me acercó hasta que no llegaron los paramédicos. No sé por qué nadie intentó consolarme pero eso fue la parte más dolorosa del accidente.

Los días que siguieron fueron extremadamente miserables. Me había roto ligamentos de ambas rodillas, me fracturé el pulgar derecho y no podía mover mi brazo izquierdo a causa de una fractura múltiple de la clavícula. Me sentía completamente inútil porque no podía ni siquiera levantarme de la cama por mí mismo.

Una vez que los médicos repararon my pulgar roto usando tornillos y clavos, otro doctor me visitó para mirarme las rodillas. No podía mover las piernas de lo tanto que me dolían. Tenía las rodillas tan hinchadas que parecían pelotas de beisbol y mis piernas estaban cubiertas de heridas y rasguños enormes, resultado de los cortes que los bordes rotos de las placas metálicas de mi carro habían causado en mi piel.

El médico quería saber hasta qué punto habían resultado dañados mis tendones y por eso me hizo un test. Hizo presión en las articulaciones de las rodillas para ver si mis ligamentos todavía seguían uniendo mis piernas. Me dobló la articulación y dijo: "Noté como unos tres cuartos de pulgada. Yo diría que te has roto entre un 70 un 90 por ciento de tus ligamentos y tendones".

"¿Y qué quiere decir eso?", le pregunté.

"Tenemos que programar una operación inmediatamente".

"¿Cómo reparan tendones?".

"No lo sabremos hasta que no hagamos la operación. Normalmente hacemos una serie de agujeros en los huesos y luego pasamos por esos agujeros los ligamentos que están sanos para ver si se unen a los huesos de nuevo".

"¿No pueden los ligamentos unirse a los huesos por sí mismos?".

"No, se quedarían ahí flotando en la articulación y se deteriorarían".

"Me preocupa la factura del hospital. No tengo seguro de salud. Tengo miedo de que el conductor del autobús y el distrito escolar vayan a presentar una demanda contra mí".

Apenas se marchó el doctor de la habitación el anciano que estaba en la cama de al lado me dijo: "¡No dejes que jamás te abran el cuerpo así!".

"¿Por qué no? ¿No confía en los médicos?", le pregunté.

"Verás. . . tenía un compañero al que le hicieron la misma operación hace unos años. Se le infectaron las piernas. Los doctores hicieron que se quedara cojo. Desde entonces no ha sido el mismo".

No sabía qué hacer. Estaba desesperado, sin un centavo y con dolor. Todos los médicos y enfermeras me trataban extremadamente bien. Era muy fácil confiar en ellos porque yo era muy vulnerable en aquel momento. Estaba allá acostado con pocas esperanzas, en una situación de dependencia total. El anciano tenía razón pero a la vez me resultaba muy fácil creer todo lo que los doctores y enfermeras me decían.

Unos días más tarde pedí poder regresar a mi casa. Tenía un dolor tremendo pero no podía ni imaginarme tener que pagar miles de dólares para estar una noche más en el hospital. Una vez que hube firmado los formularios correspondientes una enfermera me llevó en silla de ruedas hasta el primer piso, donde mis padres me esperaban y me ayudaron a entrar en su carro.

Mi mamá había preparado una cama provisional en el salón; había cubierto un sofá verde oscuro de los años setenta con sábanas y almohadas. Los primeros días todos me trataban muy bien hasta que llegó el lunes por la mañana. Me encontré completamente solo, en una casa oscura, acostado en un sofá verde, enfermo y sin poder caminar.

Intenté durante más de una hora levantarme del sofá yo solo para poder ir al baño pero no pude. El sofá era demasiado bajo. Yo no tenía fuerza suficiente en las piernas y no podía doblar las rodillas.

Cada vez que movía mi brazo izquierdo notaba en mis hombros el dolor de mi clavícula rota. La otra mano no es que me sirviera tampoco de mucho porque la tenía escayolada aparatosamente. Sentí como si mi vida hubiese sido destruida. Me sentía herido, furioso, deprimido y, con cada minuto que pasaba, me sentía más negativo y frustrado.

Al final mi madre regresó a casa. Me ayudó a levantarme del sofá para que pudiera ir al baño. Pero cada minuto mi enojo se hacía cada vez mayor. Cada vez que sentía dolor en mis piernas que ponía más y más furioso.

El punto álgido llegó unos días más tarde, cuando mi mamá estaba en la cocina trabajando. Yo estaba intentando levantarme del sofá por mí mismo pero simplemente me dolía demasiado. Lo único que podía hacer era quedarme medio acostado con un dolor agonizante. De repente algo dentro de mí me hizo reaccionar. Una vivísima sensación de poder se apoderó de mí. Agarré el respaldo de una silla y me obligué a ponerme de pie.

Estaba tan decidido que ya no sentía el dolor. La fuerza que me había invadido se reía del dolor. ¡Yo quería caminar! Estaba tan decidido en caminar que no me importó si mis rodillas, patéticas y débiles, se rompían en mil pedazos. Habría caminado aunque lo tuviera que hacer sobre muñones sangrientos.

Una vez que me levanté así de repente del sofá, crucé la cocina tambaleándome pero con mis piernas rectas. Mi mamá comenzó a gritar. Pasé junto a ella y abrí la puerta que daba al jardín. No sabía a dónde me dirigía o qué era lo que estaba haciendo. Caminé cojeando por el jardín. Di tres vueltas alrededor del manzano que estaba en el centro del jardín y volví a entrar en la casa.

Al principio no le di a Dios el reconocimiento que se merecía, pero aquel día él sanó mi cuerpo de forma sobrenatural. Él también me cambió la actitud ya que, si podía caminar un día, lo podría volver a hacer más. En vez de sentirme inútil y derrotado me sentí capacitado. Estaba tan motivado que en una semana fui capaz de meterme en un carro y manejar por la ciudad.

Hoy en día tengo una salud perfecta. Puedo correr, ir de excursión, ir en bicicleta, escalar montañas y trabajar en la construcción. Si hubiera permitido que los doctores me abrieran las rodillas, hicieran agujeros en mis huesos y pasaran los tendones por esos agujeros, todavía seguiría acostado en el sofá de mis papás, lisiado para siempre.

Cuando ocurrió el accidente yo solo tenía 20 años. No sabía mucho de Dios y no tenía una relación muy buena con él. Sabía que Dios existía y que me ha había salvado milagrosamente la vida de ser totalmente destruida.

Había comenzado a rezar en el momento en el que mi carro empezó a dar vueltas y seguí rezando mientras me encontraba acostado en el pavimento de la avenida casi sin aliento. No entendía el poder de la fe ni tampoco cómo podía usar el poder de la fe para acceder al poder sanador de Dios. Simplemente ¡lo hice! La fe no es una creencia intelectual. ¡La fe es poner tu creencia intelectual en acción!

Si creo verdaderamente que Dios me ama y que Dios no disfruta viéndome lisiado de por vida y que Dios desea sanarme, entonces lo único que tengo que hacer es pedirle a Dios que me sane, creer que ha escuchado mi oración y poner mi fe en acción levantándome del sofá.

Cuando Dios mira desde el cielo y me ve poniendo en acción aquello que ya le he pedido, entonces abre un conducto espiritual que permite que el poder sanador de Dios fluya en mi vida. Tan pronto como puse mi fe en acción el poder sanador de Dios fue liberado, mis piernas recibieron una fuerza sobrenatural y me recuperé.

Si hubiera permanecido en el sofá esperando a que Dios me sanara milagrosamente mi cuerpo todavía estaría acostado en el sofá. Si hubiera querido que se acabara el dolor antes de aceptar el poder sanador de Dios, todos los músculos de mis piernas se habrían deteriorado por falta de uso. Cuanto más me hubiese quedado en el sofá, más habría empeorado mi situación.

La fe, cuando se pone en acción, abre la tubería del poder sanador de Dios para que este fluya hasta nuestra vida. Si nunca pones tu fe en acción, entonces tu fe no tiene poder. El apóstol Santiago dice: *"La fe que no produce obras está muerta".*[2] Es decir, la fe sin acción también está muerta.

Si crees que Dios quiere sanarte y aceptar su poder sanador poniendo tu fe en acción, entonces Dios será aún más capaz de obrar en tu situación. Si te quedas sentado, creyendo que la enfermedad es más poderosa que Dios y que tu situación es desesperanzadora, entonces tu falta de fe obstacularizará el flujo de la sanación de Dios en tu cuerpo.

Otro buen ejemplo de cómo poner tu fe en acción proviene del Evangelio según san Lucas. Después de que Jesús entrara en un pueblo diez leprosos comenzaron a llamarlo diciendo: *"Jesús, Maestro, ten compasión de nosotros".*[3]

Cuando Jesús los vio les dijo: *"Vayan y preséntense a los sacerdotes".*[4]

La fe de los hombres comenzó inmediatamente a aumentar. Por fin habían conocido a Jesús, el maestro, el realizador de milagros, de quien todos estaban hablando. Jesús les dijo que se presentaran a los sacerdotes. Eso significa que Jesús quería que siguieran las leyes de purificación establecidas para que los leprosos pudieran volver a integrarse en la sociedad.

El único problema es que estos hombres estaban cubiertos de llagas altamente contagiosas. No se les permitía que se acercaran de ninguna manera al área del Templo. No podía ni arriesgarse a entrar en una ciudad sin correr el peligro de ser apedreados por una multitud furiosa. Tenían que vivir en las áreas desérticas y tocar una campanita o gritar bien alto: *"¡Impuro! ¡Impuro!"*.

¿Iban estos hombres a creer en su enfermedad? ¿O iban a creer más en el deseo de Jesús de verlos sanados? Si Jesús les dijo que fueran a los sacerdotes, ¿iban a poner su fe en acción y esperar que durante el camino Jesús hiciera lo que había prometido? ¿O se iban a quedar sentados, esperando a que la lepra abandonara sus cuerpos antes de ponerse en camino?

Si miraban sus llagas y creían que la enfermedad era más poderosa que Jesús, entonces nunca habrían abandonado su pueblo. Si no hubieran hecho nunca lo que Jesús les dijo que hicieran, entonces nunca habrían recibido el poder sanador de Dios.

Después de reflexionar acerca de su situación los

diez hombres tomaron la decisión de seguir a Cristo. Empacaron las pocas posesiones que tenían y se pusieron de camino a Jerusalén, cubiertos todavía de llagas altamente contagiosas. Y *mientras iban quedaron sanos.*[5]

Cuando uno de los hombres se dio cuenta de que había sido sanado, se dio la vuelta y regresó al pueblo. Se echó a los pies de Jesús y comenzó a darle gracias. Jesús le preguntó: *"¿No han sido sanados los diez? ¿Dónde están los otros nueve? ¿Así que ninguno volvió a glorificar a Dios fuera de este extranjero?".*[6]

Entonces Jesús le dijo al hombre: *"Levántate y vete; tu fe te ha salvado".*[7]

Antes de que los diez leprosos fueran sanados, estos tuvieron que pedirle la sanación a Jesús y a continuación tuvieron que poner su fe en acción para poder recibir su poder sanador. Lo mismo me sucedió a mí: antes de poder levantarme del sofá tuve que pedirle a Dios la sanación y a continuación tuve que poner mi fe en acción, levantarme y comenzar a caminar.

Si estás enfermo, dedica ahora mismo algo de tiempo a poner tu fe en acción. Comienza centrándote usando un estilo de oración meditativa. Imagínate a Jesús, el Doctor divino, que viene a visitarte. Míralo a los ojos. Háblale como si estuviera ahí mismo, delante de ti. Ábrele tu corazón. Invita en tu cuerpo a su poder sanador.

Una vez que hayas aceptado el poder sanador del Señor, comienza a poner tu fe en acción. Comienza a hacer aquello que antes no eras capaz de hacer. Si estás acostado enfermo en un sofá, oblígate a ti mismo a levantarte y comienza a caminar en el nombre, poder y autoridad de Jesús.

Si no puedes mover tu brazo, levántalo ahora mismo. Si no te puedes doblar, comienza a tocarte la punta de los pies. Si tienes problemas con tus pulmones, inspira profundamente.

Si crees que Jesús tiene el poder de sanarte, pon tu fe en acción y recibe su poder sanador. Permite que el poder milagroso de Dios fluya por tu cuerpo ahora mismo.

5

El poder de la salvación

En la Antigua Alianza, cuando un hombre cometía un pecado, se le permitía traspasar a un cordero sacrificial la pena de muerte a la que estaba condenado por haber cometido acciones pecaminosas. Una vez que el cordero era sacrificado, su sangre expiaba los pecados del hombre.

Este sistema temporal de arrepentimiento funcionó bien durante un tiempo, pero pronto los corazones de las personas se endurecieron. Cometían constantemente pecados y realizaban constantemente rituales de purificación en el Templo. Nadie se esforzaba por alcanzar la santidad y todos se dedicaban a sacrificar animales para expiar sus pecados.

Como Dios deseaba una mayor santidad para sus hijos, envió a su único Hijo al mundo para tomar el lugar del cordero sacrificial. El Hijo de Dios adoptó la carne humana y se hizo hombre. Vivió una vida sin pecado y demostró el amor del Padre mediante sus obras.

La noche en la que fue traicionado, Jesús terminó de celebrar la cena pascual con sus discípulos. Tomó pan y, después de bendecirlo, lo partió y dijo: *"Esto es mi cuerpo, que es entregado por ustedes. Hagan esto en memoria mía".*[1] A continuación tomó el cáliz y, después de bendecirlo, dijo: *"Esto es mi sangre, la sangre de la Alianza, que es derramada por muchos, para el perdón de sus pecados".*[2]

Después de esto Jesús entregó su cuerpo para que fuera torturado y crucificado. Varios soldados le quitaron la ropa y le amarraron las manos sobre su cabeza a una columna. Otro soldado agarró un látigo hecho de cuerdas de cuero, de cuyas puntas colgaban afilados trozos de hueso y piedra. El soldado lo azotó con todas sus fuerzas en la espalda, hombros y piernas.

Al principio las puntas afiladas del látigo rasgaron la piel del Señor. Y luego, cada vez que el soldado lo volvía a azotar, se desprendía más y más carne, hasta el punto de que le rasgaron los músculos y llegaron hasta el hueso. Los ojos de Jesús rebosaban de lágrimas y sin embargo siguió mirando a los hombres con amor en su corazón.

Al final los soldados desataron a Jesús y permitieron que su cuerpo, débil y sanguinolento, se desplomase contra la columna. Le echaron una túnica sobre los hombros y le colocaron en la mano una caña como si se tratase de un cetro. Se burlaron de Jesús diciéndole: *"¡Viva el rey de los judíos!" Le escupían en la cara y con la caña le golpeaban en la cabeza.*[3]

Después de burlarse de Jesús los soldados le quitaron la túnica y le amarraron a los hombros una cruz pesada. Lo obligaron a emprender un camino doloroso, cargando con todo el peso de una cruz. Cada vez que Jesús se caía el dolor de un latigazo le rasgaba la piel. Al final llegó a Gólgota, el Lugar de la Calavera, donde lo crucificaron.

De repente la oscuridad cubrió toda la tierra. Todos

los pecados de la humanidad descendieron sobre Jesús. El Padre tuvo que alejarse. Jesús exclamó fuertemente: *"Dios mío, Dios mío, ¿por qué me has abandonado?".*[4] Jesús se convirtió en el Cordero de Dios; pagó el precio de los pecados de la humanidad, la pena de muerte, con su propia sangre.

Después de esto tuvo lugar un gran cambio en el reino espiritual. La cortina del templo se rasgo en dos. La tierra tembló. Las piedras se quebraron. Las tumbas se abrieron y muchos de los cuerpos de los santos que habían fallecido fueron resucitados. Satanás jamás había esperado que esto fuera a suceder pero, tres días más tarde, Jesús resucitó de entre los muertos y estableció una Nueva Alianza.

Este es el mensaje del Evangelio y, antes de que puedas acceder a su poder, primero tienes que aceptar el sacrificio del Señor en la cruz por el perdón de tus pecados. Puedes hacer esto ahora mismo, dedicando algo de tiempo a centrarte en la oración.

¿Le has dado alguna vez la espalda a Dios y creído en las mentiras de Satanás en lugar de en la bondad de Dios? Si ha sido así, el castigo por desobedecer o por cualquier otro pecado es la muerte. Si has cometido el más mínimo pecado, no importa la pequeño que fuera, ¿estás dispuesto a pagarlo tú mismo con la pena de muerte? ¿O quieres que Jesús pague por ti con la pena de muerte?

Si quieres que Jesús pague por ti con la pena de muerte, entonces imagínate al Señor enfrente de ti, siendo clavado en la cruz. Imagínatelo respirando con mucha dificultad mientras sufre un dolor agonizante. Míralo a los ojos y agradécele que esté pagando por ti con la pena de muerte. Repasa toda tu vida y confiésale todos tus pecados. Toma simbólicamente todos tus pecados, todas las personas que te han herido directa e indirectamente, y ofrécelas a Jesús.

Entrega a Jesús todos tus pecados. Él tiene el poder de pagarlos por ti con la pena de muerte. Jesús ya pagado ese precio. Él te ama. Entrégale todos tus pecados. Míralo a los ojos y promete que harás todos lo que esté a tu alcance de ahora en adelante para evitar el pecado a toda costa. Promete que evitarás toda clase de tentación y que rechazarás y renunciarás firmemente al mal. Termina tu oración diciéndole al Señor cualquier otra cosa que quieras contarle.

Antes de que puedas aceptar todo el poder del mensaje del Evangelio, tendrás que entender porqué Jesús sufrió la crueldad del látigo. Jesús no necesitaba que los soldados le hicieran la carne trizas. Dios podría haber protegido fácilmente a su Hijo de ser flagelado, al igual que Dios lo protegió para que no le rompieran ningún hueso.

Fueron, pues, los soldados y quebraron las piernas de los dos que habían sido crucificados con Jesús. Pero al llegar a Jesús vieron que ya estaba muerto, y no le quebraron las piernas, sino que uno de los soldados le abrió el costado con la lanza, y al instante salió sangre y agua. Esto sucedió para que se cumpliera la Escritura que dice: No le quebrarán ni un solo hueso. Y en otro texto dice: Contemplarán al que traspasaron.[5]

Si Dios podía proteger al Cordero sacrificial para que no le rompieran ningún hueso, entonces Dios podría claramente haber protegido a Jesús del sufrimiento del cruel látigo.

Jesús sufrió la crueldad del látigo porque deseaba cargar en su propio cuerpo la enfermedad de la humanidad para que tú puedas ser sanado.

Sin embargo, eran nuestras dolencias las que él llevaba,
eran nuestros dolores los que le pesaban.
Nosotros lo creíamos azotado por Dios, castigado y humillado, y eran nuestras faltas por las que era destruido,
nuestros pecados por los que era aplastado.
El soportó el castigo que nos trae la paz
y por sus llagas hemos sido sanados.[6]

Jesús sufrió la crueldad del látigo para que tú puedas ser sanado. Jesús era completamente inocente de todo pecado y sin embargo eligió libremente cargar sobre su propio cuerpo con toda clase de enfermedad y dolencia para que tú fueras sanado y tu cuerpo se recuperara. *Y sus heridas nos han sanado.*[7]

El precio para que tus pecados sean perdonados y el precio para que tus enfermedades sean sanadas ya han sido pagados. Jesús pago por ambos para que tú puedas ser libre. El poder para perdonar los pecados del hombre y el poder para sanar el cuerpo del hombre son inseparables. Ambos provienen de Jesús. Tú puedes decidir que se te perdonen los pecados, e igualmente tú puedes decidir que tu cuerpo sea sanado.

No pienses que le estás haciendo un favor a Jesús al cargar tú mismo con tus enfermedades. Estas no harán otra cosa que matarte. Te robarán tu fuerza, energía, finanzas y servicio al Señor. Jesús quiere que sanes para que puedas servirlo con todas tus fuerzas. Jesús quiere que seas una persona sana y fuerte para que puedas proclamar el mensaje del Evangelio y lo escuche todo el mundo.

El poder sanador ya está aquí presente. Ya se ha pagado el precio. Lo único que tienes que hacer es acceder al poder sanador del Señor aceptando el mensaje del Evangelio. El poder sanador de Cristo fluirá en tu vida tan pronto como aceptes el sacrificio que Jesús hizo por ti.

Si necesitas el poder sanador de Jesús quizá quieras dedicar algo de tiempo ahora a centrarte mediante un estilo de oración meditativa. Imagínate a Jesús con sus manos encadenadas sobre la cabeza. Imagínate a un soldado azotándole con un látigo la espalada sin misericordia. Míralo a sus ojos llenos de amor. Permite que su amor por ti te llene el corazón. Jesús aguanta este sufrimiento para que tú puedas ser sanado.

Si tu amor te lleva a hacerlo, párate en frente del soldado y permite que tu cuerpo proteja del látigo el cuerpo de Jesús. Permítete sentir la enfermedad de la maldad cuando esta es inflingida en su espalda. Una vez que hayas sufrido toda la enfermedad que tu humanidad pueda aguantar, permítete atravesar el cuerpo de Jesús. Atraviésalo y deja atrás tu enfermedad y dolencia. Al atravesar el cuerpo de Jesús llévate contigo su amor y fortaleza eternos.

Deja atrás las partes de tu cuerpo que estén viejas y lisiadas y llévate contigo las partes nuevas y fuertes del cuerpo de Jesús. Permite que la fortaleza del cuerpo de Jesús fluya por tu cuerpo. Permite que la sangre del Señor te limpie las venas y te libere de cualquier trastorno genético celular que puedas tener.

Una vez que hayas atravesado el cuerpo de Jesús y hayas sido totalmente limpiado, comienza a poner tu fe en acción. Comienza haciendo aquello que no se te ha permitido hacer en el pasado. Permite que el poder del mensaje del Evangelio te transforme tu vida hoy mismo.

6

El poder de ordenar

Me había estado despertando toda la noche. Al principio no sabía si los ruidos eran verdaderos o si provenían de un sueño. Podía verme a mí mismo parado en una escalera. Comencé a escuchar sonidos como de una obra. Los sonidos eran cada vez más fuertes.

Entonces pude ver en la distancia una ventana cubierta de moscas. El ruido de los insectos era cada vez más fuerte. De repente puede sentir que mi espíritu-hombre estaba siendo atacado. Una fuerza maligna vino sobre mí y me paralizó.

Había dejado de soñar. Este era un verdadero ataque demoníaco. Estaba totalmente despierto e intentaba liberarme pronunciando el nombre de Jesús. Lo intenté con todas mis fuerzas pero apenas podía pronunciar el nombre del Señor. Lo intenté una y otra vez pero la fuerza maligna me tenía atrapado firmemente.

Tuve que luchar con toda mi fuerza para poder pronunciar el nombre de Jesús. Cada vez que invocaba el nombre del Señor mis palabras se hacían más y más fuertes. Finalmente pude dar la orden con plena autoridad. *Yo te ato, Satanás, en nombre de Jesús.* Para entonces la parálisis que me había asido me había abandonado y mi espíritu-hombre estaba tan enfervorizado que me resultó fácil comenzar a cantar alabanzas a Dios.

Solo he tenido dos sueños demoníacos en mi vida. Uno tuvo lugar cuando estaba aprendiendo acerca de la lucha espiritual y el otro justo antes de embarcarme en mi primer viaje misionero. Ambas experiencias duraron menos de un minuto porque ya sabía cómo liberarme: invocando el poderoso nombre de Jesús.

Justo antes de que sus discípulos salieran en su primer viaje misionero, Jesús los congregó y *les dio autoridad para expulsar todos los malos espíritus y poder para curar enfermedades. Después los envió a anunciar el Reino de Dios y devolver la salud a las personas.*[1]

Los discípulos se marcharon y llegaron a pueblos y *predicaban la Buena Nueva y hacían curaciones en todos los lugares.*[2] Al poco tiempo Jesús nombró a otros setenta y los envió a todas las ciudades y pueblos con las mismas instrucciones: *"Sanen a los enfermos y digan a su gente: 'El Reino de Dios ha venido a ustedes'".*[3]

Cuando Jesús envió a estos hombres y mujeres, estos se convirtieron en embajadores de Cristo. Fueron a cada ciudad y pueblo representando al Señor. Cuando hablaban lo hacían como representantes oficiales del Señor. Cuando invocaban el nombre del Señor estaban invocando el poder del Señor.

Cuando los discípulos regresaron de su viaje e informaron a Jesús acerca de todas las señales milagrosas y maravillas que habían realizado, sintieron una gran alegría y dijeron: *"Señor, hasta los demonios nos obedecen al invocar tu nombre".*[4]

El Señor dijo: *"Yo veía a Satanás caer del cielo como un rayo. Miren que les he dado autoridad para pisotear serpientes y escorpiones y poder sobre toda fuerza enemiga: no habrá arma que les haga daño a ustedes".*[5]

Ese mismo poder le ha sido otorgado a todos los discípulos. Lo único que tienes que hacer es comenzar a usarlo. Al invocar el nombre del Señor el poder del Señor se manifestará en tu vida. Una vez que el poder del Señor se manifiesta lo único que tienes que hacer es dirigirlo hacia un ministerio o persona digno.

Un buen ejemplo de cómo usar el poder de una orden se encuentra en los Hechos de los Apóstoles. Cuando Pedro fue a Lida encontró allí a un paralítico llamado Eneas, quen llevaba postrado en cama ocho años. Después de que Pedro le hablase del mensaje del Evangelio, invocó el nombre, poder y autoridad de Jesús diciéndole a Eneas: *"Jesucristo te sana. Levántate y arregla tu cama". Y de inmediato se levantó. Todos los habitantes de Lida y Sarón lo vieron y se convirtieron al Señor.*[6]

Cuando Pedro invocó el nombre de Jesús, el poder sanador de Jesús se puso a su disposición. Entonces Pedro unió el poder sanador de Jesús a una orden al decir: *"Levántate y arregla tu cama".* Antes de que se permitiera al poder sanador fluir en la vida del paralítico, Eneas tuvo que cumplir la orden que se le había dado. Tuvo que poner su fe en acción, levantarse y arreglar su cama.

Para ayudar a los discípulos a aprender cómo usar eficazmente el poder de una orden Jesús les enseñó una valiosa lección un día al decirles: *"Yo les aseguro que el que diga a ese cerro: ¡Levántate de ahí y arrójate al mar!, si no duda en su corazón y cree que sucederá como dice, se le concederá".*[7]

Para que el poder de la orden pudiera tener efecto los discípulos tuvieron que hablarle al cerro. Tuvieron que hablarle al cerro por su nombre y darle una orden. Fíjate que Jesús dice que si le hablas al cerro se te concederá lo que ordenes, y no dice que reces para que el cerro se mueva por ti.

El Señor demostró el poder de una orden cuando se detuvo en la casa de la suegra de Pedro. Los discípulos, después de haber estado sirviendo todo el día a la multitud, tenían hambre. De camino a su casa querían parar en la de la suegra de Pedro pero, desafortunadamente, cuando lo hicieron se la encontraron enferma en la cama.

Jesús se acercó inmediatamente a su lado. *Se inclinó hacia ella, dio una orden a la fiebre y ésta desapareció. Ella se levantó al instante y se puso a atenderlos.*[8]

Antes de que la suegra de Pedro pudiera ser curada Jesús tuvo que dar una orden a la fiebre. Se dirigió a la fiebre por su nombre, condenó sus acciones y le dijo que se marchara del cuerpo de la mujer. Ordenó a la fiebre que se marchara y la enfermedad abandonó el cuerpo de la mujer.

El apóstol Pablo también usó el poder de una orden cuando estaba predicando el Evangelio a la gente de Listra. Cuando terminó de hablar Pablo se fijó en *un hombre tullido, que se veía sentado y con los pies cruzados. Era inválido de nacimiento y nunca había podido caminar.*[9]

Pablo, éste fijó en él su mirada y vio que aquel hombre tenía fe para ser sanado. Le dijo entonces en voz alta: "Levántate y ponte derecho sobre tus pies".[10]

El hombre se incorporó y empezó a andar.[11]

Pabló no rezó para que sanara el hombre. Pablo dio

una orden. Estaba actuando como embajador de Cristo.

Pablo, después de predicar el mensaje del Evangelio en nombre del Señor, dio una orden y el poder sanador de Jesús quedó puesto a su disposición. Cuando el inválido puso su fe en acción el poder sanador del Señor penetró su cuerpo y fue sanado.

Un día yo me resbalé en el hielo cuando descendía cuidadosamente por una pendiente muy pronunciada junto a un arroyo. Me caí estrepitosamente y me torcí la pierna. Inmediatamente me agarré la rodilla y comencé a rezar. Me puse de pie, me sacudí la nieve de la ropa y continué bajando la montaña.

Me di cuenta de que mi rodilla había sufrido algún tipo de lesión pero, como parecía que la podía seguir usando con normalidad, decidí dejar de pensar en ello y seguí caminando. Con el paso del tiempo dejó se estar hinchada pero de vez en cuando notaba un dolor leve.

Como había aprendido acerca del poder de una orden, decidí intentarlo. Puse mis manos sobre la rodilla y dije: *¡En nombre de Jesús, te rechazo, dolor, y te ordeno que dejes mi cuerpo!* E inmediatamente desapareció el dolor.

El dolor reapareció unas ocho veces durante varias semanas más. Cada vez que el dolor reaparecía o lo rechazaba en nombre de Jesús o me recordaba a mí mismo que yo ya había sido sanado. Cada vez que lo hacía el dolor abandonaba mi cuerpo.

Si necesitas el poder sanador de Dios, dedica algo de tiempo a invocar el nombre del Señor. Impón tus manos sobre el área de tu cuerpo que necesita ser sanada y ordena a la enfermedad que se marche. Si sufres de alguna enfermedad física, como la suegra de Pedro, dirígete a la enfermedad por su nombre y ordénala, en el nombre de

Jesús, que se marche de tu cuerpo.

Si estás siendo atacado por espíritus demoníacos de enfermedad, ordénalos que se marche de tu cuerpo en el nombre, poder y autoridad de Jesús. Si sufres dolor de espalda, ordena a tu columna vertebral a que se alinee perfectamente. Si sufres de una enfermedad genética, ordena en nombre de Jesús a cada célula de tu cuerpo que encuentre el equilibrio eléctrico y químico perfecto. Invoca el nombre que es superior a todo nombre y permite que el poder sanador de Jesús te transforme la vida ahora mismo.

7

El poder de la oración

Brittany estaba en el suelo, cubierta de cobijas, esperando a que rezáramos por ella. Sólo tenía seis años y sufría de unos terribles ataques de artritis en las piernas. A menudo se despertaba gritando en mitad de la noche por lo intenso que era el dolor.

Su madre sufría de la misma enfermedad. Vanessa provenía de una familia de herencia musulmana e hindú, en la que ocho de sus doce hermanos y hermanas se habían suicidado. Sabía que estábamos lidiando con maldiciones generacionales porque el Señor ya había comenzado a enseñarle que los pecados de los padres se transmiten hasta la tercera o cuarta generación.

Al reunirnos alrededor de Brittany para rezar, esta se cubrió el rostro con la cobija. Me senté en el suelo a su lado y su madre y otra mujer se sentaron en el sofá.

Comenzamos pidiendo al Señor que nos enseñara cómo rezar. Después de un momento de silencio Vanessa dijo: "Señor, por favor, sana a mi hija. Por favor, haz que desaparezca la enfermedad. No quiero darle más Tylenol. Por favor, sánale las piernas para que no sufra más".

"Sí, Señor", dije. "Por favor, ten misericordia de

los padres y abuelos de Vanessa. Por favor, perdónales todos sus pecados. Te pedimos que los visites ahora mismo, allí donde se encuentren, dales la oportunidad de elegirte como su Señor y Salvador. Por favor, dales la oportunidad de escuchar el mensaje del Evangelio para que les sean perdonados sus pecados".

"Sí, Señor", dijo Vanessa. "No les guardo ni rencor ni resentimiento a ninguno de mis parientes y te pido que tengas misericordia de todo mi linaje".

"Te pedimos, Señor, que coloques tu cruz entre Vanesa y sus padres", dije. "Ejercemos autoridad sobre todos los pecados y maldiciones heredados a través de generaciones y los rompemos ahora mismo por el poder de tu nombre. Te pedimos que limpies con tu sangre todas sus generaciones pasadas y que coloques tu cruz entre Vanessa y sus padres, sus abuelos y así hasta llegar al principio de los tiempos.

"Por favor, Señor Jesús, háblale a Vanessa. Ábrele los oídos para que escuche tu voz. Por favor, dale una palabra o visión o haz que recuerde algo de su pasado. Sea lo que sea que necesita escuchar, por favor, díselo ahora a tu hija".

Tras un largo silencio Vanessa dijo: "Creo que quiere que rece sobre el alcoholismo".

"Muy bien. Recemos sobre eso", dije.

"Por favor, ayuda a mi hermano Tomell", dijo. "Está sufriendo mucho ahora mismo. Por favor, ayúdalo a tomar decisiones correctas por ti".

"Sí, Señor. Por lo tanto ejercemos autoridad sobre todos los espíritus de alcoholismo que existan en la familia de Vanessa y los atamos a ustedes, espíritus malignos, en nombre de Jesús. Rechazamos la práctica de envenenar nuestros cuerpos. Te pedimos que envíes tus santos ángeles guerreros para que ataquen y destruyan todos los espíritus demoníacos del alcoholismo. Pedimos a tus santos ángeles guerreros que se dirijan ahora mismo a purificar y limpiar todo el linaje de la familia de Vanessa".

"Sí, Señor", dijo Vanessa.

Después de un momento de silencio impuse mi mano sobre la cabeza de Brittany. Su madre le había estado sosteniendo su manita todo este rato. Continuamos rezando y dije: "Te damos gracias, Señor, por haber roto todas las maldiciones heredades de generación en generación que han estado en contra de Brittany. Ahora te la ofrecemos para que te sirva.

"Declaramos que nada maligno puede tocarla o herirla de ahora en adelante. Ahora ordenamos a todo mal o demonio que haya estado atacándola que abandone su cuerpo ahora mismo y no regrese jamás.

"Ahora ordenamos a todas las células, músculos, articulaciones y material genético que la conforman que sean sanadas en el nombre, poder y autoridad de Jesús. Ordenamos, en nombre de Jesús, a todas las células que encuentren un equilibrio eléctrico y químico perfecto.

"Envía el fuego de tu Espíritu Santo sobre su cuerpo y la sane completamente. A ustedes, espíritus de la artritis y del dolor de piernas, les decimos en nombre de Jesús que abandonen el cuerpo de Brittany y no regresen jamás. Ven, Espíritu Santo, y llena a Brittany de tu poder sanador.

"Ahora, Brttany, quiero que reces a Jesús. Quiero que pidas a Jesús que te sane. ¿Lo harás?".

La niñita estaba en el suelo, simplemente sonriéndome.

"Jesús quiere a las niñas. Cada vez que una niña le habla a Jesús para que la sane, él hace que desaparezca el dolor. ¿Quieres que Jesús te cure para que tus piernas dejen de dolerte?".

Brittany simplemente me miró con sus enormes ojos cafés y comenzó a reirse.

"A lo mejor tu mamá puede decir las palabras y tú las repites después de ella", le dije.

"Sí, Brittany. Hagamos eso. Quiero que lo hagas", dijo Vanessa. "Reza después de mí: Señor Jesús, por favor, cura mis piernas".

"Jesús, por favor, cura mis piernas", dijo Brittany.

Una vez que Brittany repitió las palabras de su madre el Espíritu del Señor me lleno de un gran gozo. Yo sabía que Jesús había curado a esta preciosa hija en ese momento porque Brittany era completamente inocente. Era demasiado joven como para haber atraído hacía sí misma, por medio de sus pecados, cualquier tipo de enfermedad demoníaca.

No tendrás otros dioses fuera de mí. No te harás estatua ni imagen alguna de lo que hay arriba, en el cielo, abajo, en la tierra, y en las aguas debajo de la tierra. No te postres ante esos dioses, ni les sirvas, porque yo, Yavé, tu Dios, soy un Dios celoso. Yo pido cuentas a hijos, nietos y biznietos por la maldad de sus padres que no me quisieron. Pero me muestro favorable hasta mil generaciones con los que me aman y observan mis mandamientos.[1]

Si el abuelo de Brittany envenenó intencionadamente su cuerpo con alcohol e invitó a espíritus malignos a que entraran en su cuerpo a través de prácticas religiosas falsas, entonces todo tipo de enfermedades demoníacas tenían el derecho de entrar en su composición genética y enfermarlo. Cuando el abuelo de Brittany murió transfirió su composición genética al seno de su mujer de forma que todos sus genes defectuosos pasarían a sus futuras generaciones.

Si el bisabuelo de Brittany había participado en hechicería o algún otro tipo de idolatría, entonces habría establecido alianzas con el demonio por medio de sus prácticas religiosas. Cuando murió los demonios no murieron con él, sino que continuaron viviendo y simplemente siguieron el linaje familiar trasladándose al pariente más cercano que también ha estado bajo la influencia de la misma condición.

Si Dios permite que nuestros padres nos transmitan todas sus características buenas, entonces él también les permite transmitir todas las características malas. Si tus padres sirvieron durante años al dios falso del dinero y heredaste una gran fortuna, entonces quizá también hayas heredado el espíritu de la avaricia y el control, junto con el de ser vanidoso por tener la herencia familiar que tienes.

Es mediante el poder de la oración que Dios puede mostrarnos estas situaciones y ayudarnos a liberarnos de ellas. La oración no solo nos protege de las maldiciones heredades de generación en generación, sino que también tiene el poder de liberar en tu vida las bendiciones de Dios. La oración contiene una gran cantidad de poder, pero el poder no surge de repetir una y otra vez las mismas palabras.

Jesús dijo: *"Cuando pidan a Dios, no imiten a los*

paganos con sus letanías interminables: ellos creen que un bombardeo de palabras hará que se los oiga. No hagan como ellos, pues antes de que ustedes pidan, su Padre ya sabe lo que necesitan".[2]

Si estás enfermo, no podrás comprar tu sanación simplemente recitando muchas palabras. Dios escucha las peticiones que los santos aquí en la tierra piden en oración de la misma manera que escucha las intercesiones de los santos en el cielo. No importa cuánta gente logres que repitan la misma oración una y otra vez pidiendo lo mismo. Si la primera vez la respuesta a la oración es "no", entonces seguirá siéndolo hasta que resuelvas las cuestiones de fondo de la situación.

La manera más eficaz de rezar por la sanación es pedir a Jesús que te muestre el origen o fuente de tu enfermedad. Una vez que hayas descubierto la fuente, pide al Señor que pase aquello que tiene que suceder antes de que puedas ser sanado.

La oración es una conversación de doble dirección con Dios, parecida una llamada de teléfono en la que una persona habla y otra escucha. Una vez que estableces la conexión al ponerte en presencia de Dios, haz tu oración de petición y ofrécele también muchas alabanzas y culto.

A continuación, siéntate en silencio y espera a que Dios te hable. Dios desea desesperadamente hablar contigo. Dios está siempre intentando hablar a sus hijos amados; el problema es que la mayoría de las personas nunca dedican tiempo a escuchar o que no quieren escuchar de verdad lo que el Señor tiene que decir.

Si estás enfermo, haz uso del poder de la oración. Invoca el nombre del Señor y mantén una conversación con el gran Médico. Pide a Jesús que te enseñe el origen de tu enfermedad. Pídele que saque a relucir cualquier situación de tu linaje familiar que esté permitiendo que una maldición o enfermedad te esté atacando.

Si el Señor te muestra que uno de tus bisabuelos practicó la masonería, pregúntale si quiere que uses algunas oraciones de liberación de manera que tu oración sea más eficaz. Si el Señor te muestra en tu linaje familiar los pecados de la idolatría, el alcoholismo y la brujería, entonces ejerce autoridad, en el nombre, poder y autoridad de Jesús, sobre estas maldiciones heredadas de generación en generación

Deberías estar dedicando varias horas al día a estar unido con Jesús, quien es el gran amante de tu alma. Haz uso del poder de la oración ahora mismo. Jesús desea profundamente liberarte. Desea desesperadamente romper todas tus ataduras. Dirígete ahora mismo a él, de manera que su milagroso poder sanador pueda comenzar a transformar tu vida hoy mismo.

8
El poder del perdón

Cuando comencé por primera vez a practicar la oración contemplativa me comprometí a dedicar una hora al día a escuchar la suave voz del Señor. En esa época mi iglesia tenía una capilla de oración que estaba ubicada dentro de una habitación octogonal hecha de bloques de vidrio.

Incluso después de pasar mucho tiempo en esa capilla de oración, me resultaba difícil centrarme. Todo tipo de pensamientos sobre los acontecimientos del día atravesaban mi mente y me distraían. Me llevó mucha práctica pero al final conseguí tener la disciplina necesaria para poder escuchar al Señor.

Había muchos días cuando Dios llenaba mi corazón con su presencia pacificadora. Otras veces hacia que saliera a relucir algún acontecimiento de mi pasado. Al principio no sabía cómo tratar estas experiencias negativas. Parecía como si estuvieran interrumpiendo mi momento de silencio con el Señor. Intenté reprimirlas. Entonces me di cuenta de que el Señor estaba haciendo que estas salieran a relucir porque quería que perdonara a ciertas personas de mi pasado.

En la Segunda Carta a los Corintios san Pablo se refiere a la falta de perdón como una de las estrategias de Satanás. Pablo dice: *"No se aprovechará Satanás de nosotros, pues conocemos muy bien sus propósitos".*[1] Y nos avisa: *"Que el enojo no les dure hasta la puesta del sol, pues de otra manera se daría lugar al demonio".*[2]

Después de pasar mucho tiempo practicando la oración contemplativa me di cuenta de que tenía que perdonar al hombre que había causado mi accidente de tráfico. El conductor que se me cruzó en la calle me había causado mucho daño en la vida. Mi carro quedó totalmente destrozado y mis piernas casi quedaron dañadas de por vida.

Si tomaba la decisión de no perdonarlo y me dedicaba a pensar demasiado en el daño que me había hecho, entonces el demonio habría entrado en mis pensamientos y alimentado mi enojo. Cuanto más distorsionada fuera mi manera de pensar, más duro se habría hecho mi corazón hasta el punto de que me tendría que separar totalmente de las gracias y poder sanador de Dios.

Soy muy afortunado porque cuando sucedió el accidente hice todo lo que tenía en mi poder para recibir las gracias del Señor y permitirlas que fluyeran en mi vida. El segundo día de mi hospitalización le pedí a una enfermera si podía ver a un sacerdote porque quería confesarme. Enviaron a mi habitación a un capellán no católico. Yo estaba tan desesperado por volver a tener una relación recta con Dios que me confesé ahí mismo, en la habitación del hospital, a ese señor.

Más tarde la enfermera me dijo que la mujer que había estado manejando el autobús escolar con el que me choqué estaba ingresada en el mismo piso, unas puertas más allá de la mía. Tras pensarlo un rato, le pregunté a la enfermera si podía ir a su habitación y visitarla. La enfermera estuvo de acuerdo y me sentó en una silla de ruedas. Me llevó por el corredor hasta la habitación de la señora. Me presenté y le pedí perdón por haberla involucrado en el accidente.

No me contestó mucho y solo me quede brevemente en su habitación. No sé si mi disculpa ayudó a la señora a sentirse mejor, pero sí que ayudo a mi corazón a estar más abierto y permitir que el poder sanador de Dios fluyera en mi vida.

Si mi corazón no hubiera estado abierto al amor de Dios me habría resultado muy fácil seguir alimentando mi enojo, el cual se habría convertido en resentimiento y más tarde en una actitud de odio hacia la vida. Cuanto más me hubiera alimentado de las mentiras y artimañas del demonio más se había endurecido mi corazón, hasta el punto de quedarme totalmente separado de las gracias de Dios. Si hubiera separado totalmente mi corazón de Dios por medio del pecado del odio y la falta de perdón, entonces todavía estaría acostado hoy mismo en el sofá de mis papás.

Aunque había recibido las gracias sanadoras de Dios y mis piernas se habían curado milagrosamente en una pocas semanas, todavía tenía que perdonar al conductor que había causado el accidente. Simplemente el hecho de que mi cuerpo se había recuperado milagrosamente no significaba que todo el odio y resentimiento en mi corazón hubieran desaparecido en un instante.

Para poder llevar a cabo el proceso de perdonar tuve que retroceder en el tiempo y recrear la escena del accidente lo mejor que pudiera. Me imaginé el carro deportivo gris bloqueando mi carril en la avenida. El autobús patinó y se detuvo cruzado en los dos carriles en dirección sur. Mi carro, después de que saltara por los aires y diera una vuelta, cayó estrepitosamente cerca de la mediana de la avenida.

Una vez que le pedí a Jesús que viniese a mi lado, me adentré en la escena. Corrí hasta llegar al joven que yacía en el pavimento y lo socorrí. No se podía mover y tenía dificultades para respirar. Estaba acostado junto a su carro, mirando a la llanta delantera. Abracé al joven y comencé a rezar con él. Le aseguré que sobreviviría a esta tragedia con una fortaleza increíble. El joven rebosó de gozo al ver que Jesús había llegado a la escena para estar con él. Lo sostuve en mis brazos mientras Jesús le imponía sus manos sanadoras. A continuación le deseé muchas bendiciones en su vida. Esperé allí junto a él hasta que llegó la ambulancia.

Una vez que los paramédicos lo pusieron en la camilla corrí hasta el autobús escolar y socorrí a la conductora de la misma manera. El motor y la transmisión habían hecho que se quedara atrapada en el autobús. Seguí hablándole para que se tranquilizara hasta que llegó el equipo de rescate y cortaron la puerta para poder sacarla.

Después de que los paramédicos se la llevaran en ambulancia, supe que me había llegado el momento de dirigirme hacia el conductor del deportivo gris. Todavía sentía mucho odio hacia el hombre que se había cruzado en mi camino. Leí en el informe de la policía que el conductor había estado bebiendo alcohol. Una parte de mí quería sacarlo de su carro por la ventana y pegarle puñetazos en frente de la multitud que se había congregado.

Mientras me acercaba a su carro le pedí a Jesús la

gracia necesaria para poder deshacerme de mi odio y sentimientos heridos. En vez de mirarlo como si fuera un borracho irresponsable a quien no le importaba ni nada ni nadie salvo el mimo, comencé a mirarlo con compasión.

Comencé a mirarlo a través de los ojos misericordiosos y llenos de gracia del Señor. Vi que de sus ojos brotaban lágrimas de tristeza. Estaba muerto de miedo. No quería que nada de esto hubiera pasado. En mi imaginación el hombre comenzó a llorar. Me derrumbé y lo abracé. Los dos necesitábamos del amor del Señor. Jesús se acercó, impuso sus manos sobre nuestros hombros y nos llenó de su poder sanador.

Una vez que el amor de Dios fluyó en mi corazón y en la vida del hombre que había causado el accidente, supe que el proceso para perdonar había sido completado. Me despedí de él y concluí mi oración meditativa recitando el padrenuestro.

Padre nuestro, que estás en el Cielo, santificado sea tu Nombre, venga tu Reino, hágase tu voluntad así en la tierra como en el Cielo. Danos hoy el pan que nos corresponde; y perdona nuestras deudas, como también nosotros perdonamos a nuestros deudores; y no nos dejes caer en la tentación, sino líbranos del Maligno.[3]

Después de recitar la oración me di cuenta de que el Señor quería que experimentase la plenitud de las bendiciones de su Padre celestial. En el cielo no existe la enfermedad, el dolor o la muerte. Solo existe la luz, el amor, la verdad, la santidad y la alabanza puros. Cuando rezamos el padrenuestro estamos pidiendo al padre que nos envíe todas las bendiciones celestiales que necesitamos en la tierra. *Hágase tu voluntad así en la tierra como en el Cielo.*[4]

En el cielo hay abundancia de todo lo que necesitamos. Por cada enfermedad que existe en la tierra, en el cielo hay una bodega entera llena de bendiciones celestiales esperando ser repartidas. Por cada problema económico, hay sabiduría en abundancia. Por cada problema personal, hay fortaleza en abundancia.

Cuando rezamos el padrenuestro estamos pidiendo al Padre que nos envíe sus bendiciones aquí en la tierra, tal y como existen en el cielo. Estamos pidiendo que todo lo que existe en la tierra sea creado como lo es todo en el cielo. Ya que Dios quiere cumplir su parte de la oración, lo único que tenemos que hacer es cumplir nuestra parte de la oración.

Con casi todas las palabas del padrenuestro estamos pidiendo algo. Pedimos que los abundantes dones celestiales de Dios fluyan en nuestras vidas. Le pedimos nuestro pan de cada día. Le pedimos que nos proteja del maligno. Pedimos ser perdonados de nuestros pecados. Solo hay una parte de esta oración en la que Dios nos pide algo a nosotros: *"Perdona nuestras deudas, como también nosotros perdonamos a nuestros deudores".*[5]

Esto es tan importante que Jesús dice: *"Porque si ustedes perdonan a los hombres sus ofensas, también el Padre celestial les perdonará a ustedes. Pero si ustedes no perdonan a los demás, tampoco el Padre les perdonará a ustedes".*[6]

Si estás sufriendo una enfermedad grave, la falta de perdón puede prevenir que el poder sanador de Dios fluya en tu vida. Dios quiere liberarte de toda enfermedad y aflicción. Es el deseo de Dios que tu vida en la tierra sea similar a tu vida futura en el cielo. Dios quiere que vivas en el amor, la verdad, la luz y la santidad puros. Dios quiere abrir sus bodegas celestiales e inundar tu vida con sus abundantes bendiciones.

Puedes acceder ahora mismo al poder del perdón dirigiéndote en oración a Jesús. Si él saca a relucir un acontecimiento pasado doloroso, quizá tengas que tratar eso antes de que se permita que el poder sanador del Señor fluya en tu vida.

El proceso de perdonar comienza como un acto de tu voluntad. Tendrás que decidir perdonar a la persona que te haya herido. Tendrás que entregar al Señor todo el dolor y daños que hayas experimentado. Una vez que hayas dejado marchar todo lo que es negativo y dañino tendrás que aceptar el amor del Señor y permitir que su amor fluya de tu corazón hasta la vida de la persona que te hirió.

Si necesitas de la sanación física, y el Señor ya te ha mostrado áreas de tu pasado que requieren del perdón, entonces dedica ahora mismo algo de tiempo a la oración. Encuentra un lugar tranquilo en tu casa o en la iglesia. Invita a Jesús a volver a tu pasado y permitir que su amor llegué hasta ese momento en el que fuiste herido. Vuelve al pasado y ayuda a aquel niño o niña de tu niñez.

Tendrás que encontrar una manera de ayudar a la persona que te hirió. Intenta mirarla a través de los ojos amorosos y compasivos de Jesús. Intenta ver cómo sufre esa persona. Permite que el amor de Jesús llene tu corazón a la vez que pronuncias las palabras necesarias: "Te perdono".

Si existen pensamientos malignos o sentimientos de odio que impiden que puedas perdonar plenamente a la otra persona, ejerce autoridad, en el nombre, poder y autoridad de Jesús, sobre cualquier espíritu demoníaco. Recita las siguientes palabras en voz alta y con autoridad: *Los ato a ustedes, espíritus del odio y del resentimiento, en nombre de Jesús.*

Si has adquirido de alguien que te hirió cualquier tipo de espíritus de perversión sexual, átalos en nombre de Jesús. Ordena a cualquier espíritu demoníaco que abandone tu cuerpo y no regrese jamás. Después, haz que Jesús imponga sus manos sobre ti y te limpie.

Continúa tratando todas las experiencias traumáticas de tu pasado hasta que lo completes. Pide al Señor que te muestre cualquier otra cosa que necesita ser rechazada o perdonada. Trabaja en todo lo que el Señor te muestre hasta que estés completamente lleno del amor de Dios.

El proceso de perdón se terminará cuando el amor de Dios fluya en tu corazón y de ahí a la vida de la persona que te hirió. Cuando el amor de Dios pueda fluir libremente en tu corazón, entonces el poder sanador de Dios también comenzará a fluir por todo tu cuerpo.

9

El poder de la Palabra de Dios

Hace muchos años conocí a una mujer sin hogar llamada Amber. Durante los meses de verano Amber dormía en la calle, bajo un anuncio enorme que estaba junto a una valla metálica. Por la noche los perros guardianes al otro lado de la valla le hacían compañía, acostándose junto a ella para mantenerla caliente.

A lo largo de los años ayudé a Amber a conseguir varios trabajos y alquilé para ella muchas habitaciones de hotel. Hubo un momento cuando pudo mudarse a su propio apartamento pero a los pocos meses fue desahuciada. Amber era una alcohólica. Cada vez que dejaba de beber su periodo de abstinencia duraba muy poco y entonces volvía a encontrarse en la calle.

Un día recibí una llamada de teléfono del director del albergue Rescue Mission para transeuntes. Podía sentir el pánico en su voz cuando dijo: "Ayer por la noche atacaron a Amber. Parece que durante el día había estado discutiendo con unos tipos. Pensamos que unos de ellos regresó por la noche e intentó matarla mientras dormía".

"¡Oh, no! ¿Se encuentra bien?".

"El atacante uso un ladrillo grande. Amber estuvo

inconsciente toda la noche, envuelta en una cobija ensangrentada.

"Los que la encontraron dicen que la herida en su cráneo era tan profunda que podía verle el cerebro".

"¿Y ahora donde está?", pregunté.

"Después de llamar a la policía, los paramédicos vinieron y se la llevaron pronto esta mañana. Intenté contactar a varios hospitales pero nadie me quiere dar ninguna información".

"Gracias por llamarme", le dije.

Tras colgar el teléfono empecé inmediatamente a hacer llamadas. Me llevó como una hora pero al final pude encontrar a una mujer llamada Jane Doe que había sido ingresada en el hospital Denver General con un trauma craneal.

Llegué a la unidad de cuidados intensivos y varios guardias de seguridad me acompañaron hasta la habitación de Jane Doe. La policía seguía buscando a sospechosos. Quería asegurarse de que nadie iba a volver para causarle más daño.

Al entrar a la habitación casi no pude reconocer a Amber. Tenía la cara hinchada y la nariz rota. Tenía manchas negras y azules debajo de ambos ojos. Las enfermeras le habían afeitado la cabeza para que los cirujanos pudieran reparar la fractura craneal. Los puntos que le cosieron con un hilo gordo y negro hacían que la sutura pareciera vías de tren que le cruzaban la cabeza de un lado a otro de manera circular.

Empecé a sentirme mal. Fue entonces cuando noté un tubo sujeto con unos tornillos de latón brillantes al centro de su cráneo. La enfermera explicó que era para ayudar a prevenir que subiera demasiado la presión dentro de su cabeza. Había muchos otros tubos conectados a su cuerpo, entre ellos el del respirador artificial. La enfermera dijo que habían intentado desconectar el respirador dos veces para ver si Amber podía respirar por sí misma pero que ambas veces no pudo hacerlo.

Durante toda la noche estuve rezando: *"Oh, Dios, por favor, ayuda a Amber"*, pero en lo profundo de mi corazón me faltaba la fortaleza necesaria para poder rezar eficazmente. Nadie pensó que Amber fuera a sobrevivir y en breve comencé a prepararme para el peor de los casos.

Y para colmo de males, me sentía culpable de cómo me había despedido de Amber la última vez que la había visto. Unas semanas antes había ido a dejarle unos papeles. Ella me esperaba en la banqueta de la calle. Yo llevaba más de un año intentando ayudarla, pero había perdido toda esperanza de conseguirlo. Pensaba que estaba perdiendo el tiempo con ella. Estaba furioso conmigo mismo y decepcionado con su progreso así que, después de entregarle los papeles, me marché en el carro rápida e impacientemente. Podía oírla gritándome desde la banqueta: "Espera, Rob. . . Rob".

Y ahora, parado en la habitación del hospital observando a Amber, me sentí fatal y parcialmente responsable. Lo único que podía hacer era venir a visitarla y ver cómo estaba, pero cada día su condición empeoraba. En la habitación se respiraba un horroroso hedor a muerte y los médicos querían colocarle en el estómago un tubo para alimentarla.

Seguí rezando por Amber pero a mis oraciones les faltaba el poder de la fe necesario. No pensaba que

Amber fuera a sobrevivir y mi actitud negativa estaba obstaculizando mi habilidad de rezar para que tuviera lugar una sanación milagrosa. Y para colmo de males mi corazón se había endurecido. Una parte de mí no quería que Amber regresara a la calle, causando más problemas y siguiendo su estilo de vida de borracha disoluta.

Con el paso del tiempo fui capaz de rectificar mi actitud negativa y de volver a mi corazón. Unos días más tarde una señora de mi grupo de estudio bíblico se ofreció a ir conmigo al hospital y rezar por Amber. Pudimos rezar con amor en nuestros corazones. Intercedimos por Amber y le pedimos a Dios que le perdonara todos sus pecados. Llevé conmigo una botella con aceite de ungir y, cuando las enfermeras no estaban mirando, ungí la cabeza y las manos de Amber.

Una vez que ungimos a Amber con aceite y rezamos la oración de la fe con amor en nuestros corazones, Amber comenzó a recuperarse. Al día siguiente recobró el conocimiento y empezó a respirar por sí misma. Unos días más tarde ya podía sentarse en la silla de ruedas por sí misma. A las dos semanas tenía la fuerza suficiente para empezar a pelearse con las enfermeras. En varias ocasiones el personal médico tuvo que sedarla y amarrarla a la cama porque quería irse del hospital con el tubo de alimentación todavía en su estómago.

Seis meses más tarde Amber se había recuperado totalmente. Dios obró un profundo milagro y lo único que habíamos necesitado para acceder al poder sanador del Señor era seguir las sencillas instrucciones que aparecen en la Sagrada Escritura: *¡Quítate de ahí y échate al mar!, y así sucederá. Todo lo que pidan en la oración, con tal de que crean, lo recibirán.*[1]

Antes de que el poder sanador de Dios penetrase en la vida de Amber alguien tenía que creer que su situación no carecía de esperanza. Alguien tenía que creer que Dios tenía el poder, el deseo y el amor de sanar completamente a Amber.

También era necesario que dos o más creyentes llenos del Espíritu se reunieran estando de acuerdo en que el poder milagroso de Dios podía estar disponible. Jesús dice: *"Asimismo yo les digo: si en la tierra dos de ustedes se ponen de acuerdo para pedir alguna cosa, mi Padre Celestial se lo concederá. Pues donde están dos o tres reunidos en mi Nombre, allí estoy yo, en medio de ellos".*[2]

De la misma manera que Dios sanó a Amber, él también quiere sanar a todos sus hijos amados. Lo único que tienes que hacer es seguir las sencillas instrucciones que aparecen en la Sagrada Escritura. Un buen ejemplo de cómo aplicar en tu vida la promesa del poder sanador de Dios lo encontramos en el Carta de Santiago:

¿Hay alguno enfermo? Que llame a los ancianos de la Iglesia, que oren por él y lo unjan con aceite en el nombre del Señor. La oración hecha con fe salvará al que no puede levantarse y el Señor hará que se levante; y si ha cometido pecados, se le perdonarán. Reconozcan sus pecados unos ante otros y recen unos por otros para que sean sanados. La súplica del justo tiene mucho poder con tal de que sea perseverante.[3]

1. Llama a los ancianos llenos del Espíritu para que recen por ti.
2. Haz que te unjan con aceite.
3. Reza la oración de la fe con los ancianos.
4. Analiza cuidadosamente tu pasado y confiesa todos tus pecados.

Si haces todo lo que la Palabra de Dios te dice que hagas, entonces puedes esperar que Dios responda a tu petición orada exactamente cómo la recitaste desde los rincones más profundos de tu corazón. Lo único que necesitas es fe del tamaño de una semilla de mostaza. Entonces serás capaz de decirle al cerro: *Quítate de ahí y ponte más allá, y el cerro obedecería. Nada sería imposible para ustedes.*[4]

¿A qué estás esperando? La promesa de Dios de sanación está dirigida a ti. Llama a orar a los creyentes que están llenos del Espíritu. Recurre al poder de la fe y permanece firme ante las promesas que contiene la Sagrada Escritura. Permite que el poder milagroso del Señor te transforme hoy mismo tu vida.

10

El poder de la llamada de Dios

Un día Jesús entró en la sinagoga un Sabbat. Cuando se levantó para proclamar la lectura alguien le dio un rollo del profeta Isaías. Lo desenrolló y dijo: *El Espíritu del Señor está sobre mí. El me ha ungido para llevar buenas noticias a los pobres, para anunciar la libertad a los cautivos y a los ciegos que pronto van a ver, para poner en libertad a los oprimidos y proclamar el año de gracia del Señor.*[1]

Enrolló el texto, se lo dio al ayudante y dijo: *"Hoy se cumplen estas palabras proféticas".*[2]

Jesús cumplió las palabras de esta profecía a lo largo de su ministerio y nos llama a todos los cristianos a participar, de la misma manera, en su ministerio de sanación y liberación. Nos envía a realizar las mismas obras que realizó él cuando dijo: *"En verdad les digo: El que crea en mí hará las mismas obras que yo hago y, como ahora voy al Padre, las hará aún mayores".*[3]

Jesús ha extendido esta invitación a todos los creyentes. Lo único que tienes que hacer es entregar tu vida en servicio al Señor y comenzar a caminar con total obediencia. Cuando comiences a caminar el camino como lo hizo Jesús, Dios empezará a usarte para propagar su reino aquí en la tierra.

Un buen ejemplo de esto queda demostrado en la vida de sus discípulos: *Esteban, hombre lleno de gracia y de poder, realizaba grandes prodigios y señales milagrosas en medio del pueblo.*[4]

La sombra de Pedro tenía poder suficiente como para sanar personas. *La gente incluso sacaba a los enfermos a las calles y los colocaba en camas y camillas por donde iba a pasar Pedro, para que por lo menos su sombra cubriera a alguno de ellos.*[5]

Dios obraba prodigios extraordinarios por las manos de Pablo, hasta tal punto que imponían a los enfermos pañuelos o ropas que él había usado, y mejoraban. También salían de ellos los espíritus malos.[6]

De la misma manera que Dios realizó muchas obras milagrosas por medio de la vida de los discípulos, así también él desea usarte para propagar su reino aquí en la tierra. Quiere llenarte del poder de su Espíritu Santo, de manera que puedas empezar a realizar las mismas señales y maravillas que el Señor prometió a todos los creyentes:

Estas señales acompañarán a los que crean: en mi Nombre echarán demonios y hablarán nuevas lenguas; tomarán con sus manos serpientes y, si beben algún veneno, no les hará daño; impondrán las manos sobre los enfermos y quedarán sanos.[7]

Cuando el Señor dijo: *"Vayan por todo el mundo y anuncien la Buena Nueva a toda la creación",*[8] lo que él quiere que de verdad hagamos es compartir el mensaje del Evangelio con todas las naciones. Cuando nos dirigimos con fe y empezamos a realizar las obras del ministerio que nos ha sido asignado, Dios apoyará nuestras palabras y oraciones de petición con su poder milagroso.

Un buen ejemplo de esto proviene de una misión sanadora en África occidental. Después de haber proclamado el mensaje del Evangelio Dios envió su poder sanador y cientos de vidas fueron transformadas. Un hombre estaba tan entusiasmado que no paraba de correr de un lado a otro de la plataforma agitando su bastón en el aire. Este hombre demostró una cantidad increíble de amor y gozo cuando se puso a describir cómo el Señor le había curado su artritis.

Otro hombre de mediana edad, llamado Princeworth, se había visto envuelto en un accidente de carro. Cuando el vehículo lo golpeó casi perdió su pie derecho. Su tobillo y el hueso de la parte inferior de su pierna quedaron completamente aplastados. Acababa de pasar seis meses en el hospital, donde lo habían operado tres veces, y aun así no podía caminar.

Durante el momento de la oración Princeworth estaba sentado en la hierba junto a sus muletas. Cuando rezamos por la sanación la gran multitud comenzó a poner su fe en acción. El mar de gente empezó a moverse, algunos saltaban y otros agitaban sus brazos y se movían hacia delante y hacia atrás.

Cuando Princeworth vio todo este entusiasmo empezó a gritar para que alguien lo ayudara a levantarse. El hombre que estaba a su lado le agarró las manos y lo levantó. Su dolor desapareció instantáneamente y fue capaz de caminar. Princeworth compartió su testimonio aquella noche y regresó la noche siguiente para decir: "Pude caminar todo el día sin usar mis muletas".

Otro hombre, llamado Edmond, era totalmente ciego del ojo derecho. Le habían diagnosticado glaucoma y la creciente tensión en su ojo izquierdo hacía que le resultara casi imposible ver. Cuando rezamos para que se sanara, Edmond se tapó los ojos con las manos. Cuando las bajó comenzó a saltar de gozo porque había vuelto a poder ver.

Otro hombre, llamado Jonas, tenía una rigidez muy severa en ambas rodillas. No podía ni arrodillarse ni doblar las piernas sin sentir mucho dolor. Cuando rezamos pidiendo la sanación Jonas puso sus manos en la cintura porque también estaba experimentando un dolor terrible en su cadera izquierda. Jonas dijo: "Podía sentir un calor que me recorría el cuerpo y bajaba por mis piernas".

Aunque la enfermedad abandonó su cuerpo aquella primera noche, Jonas quería esperar hasta la tercera noche antes de dar su testimonio. Quería asegurarse de que la sanación había sido real. Mientras lo observaba agacharse y levantarse frente a mí como si fuera un niño ágil, le aseguré que el poder sanador del Señor era algo muy real.

¿A qué estás esperando? El Señor necesita tu ayuda. Jesús no puede imponer sus manos sobre las demás personas sin tu ayuda. Dios te ha elegido para que cambies el mundo. Quiere crear contigo una asociación ministerial divina. Quiere llenarte de su poder milagroso para que puedas ofrecer su sanación en servicio a todas las naciones del mundo.

Esta es la hora. ¡El reino de los cielos está aquí!

Notas

Introducción
1. Génesis 1,26.
2. Génesis 2,18.
3. Génesis 4,7.
4. Apocalipsis 12,9.
5. Éxodo 15,26.
6. Ezequiel 36,25–28.

1 — El poder del deseo
1. Juan 5,6.
2. Juan 5,7.
3. Juan 5,8.
4. Santiago 1,5–8.

2 — El poder de la verdad
1. Lucas 13,11.
2. Lucas 13,12–13.
3. Lucas 13,16.
4. Juan 8,32.

3 — El poder del creer
1. Marcos 5,26.
2. Marcos 5,28.
3. Marcos 5,30.
4. Marcos 5,31.
5. Marcos 5,33.
6. Marcos 5,34.
7. Hebreos 11,6.
8. Mateo 9,27.
9. Mateo 9,28.
10. Mateo 9,28.
11. Mateo 9,29.
12. Mateo 15,22.
13. Mateo 15,24.
14. Mateo 15,28.
15. Mateo 15,28.
16. Job 1,1.
17. Job 1,8.
18. Job 1,9–11.
19. Job 1,12.
20. Job 2,3.
21. Job 2,4–5.
22. Job 2,6.
23. Job 2,7.
24. Lucas 11,14.
25. Mateo 17,17–18.

4 — El poder de la fe
1. Foto del accidente, del departamento de policía de Lakewood.
2. Santiago 2,26.
3. Lucas 17,13.
4. Lucas 17,14.
5. Lucas 17,15.
6. Lucas 17,17–18.
7. Lucas 17,19.

5 — El poder de la salvación
1. Lucas 22,19.
2. Mateo 26,28.
3. Mateo 27,29–30.
4. Mateo 27,46.
5. Juan 19,32–34 y 36–37.
6. Isaías 53,4–5.
7. 1 Pedro 2,24.

6 — El poder de ordenar
1. Lucas 9,1–2.
2. Lucas 9,6.
3. Lucas 10,9.
4. Lucas 10,17.
5. Lucas 10,18–19.
6. Hechos 9,34–35.

7. Marcos 11,23.
8. Lucas 4,39.
9. Hechos 14,8.
10. Hechos 14,9–10.
11. Hechos 14,10.

7 — El poder de la oración

1. Éxodo 20,3–6.
2. Mateo 6,7–8.

8 — El poder del perdón

1. 2 Corintios 2,11.
2. Efesios 4,26–27.
3. Mateo 6,9–13.
4. Mateo 6,10.
5. Mateo 6,12.
6. Mateo 6,14–15.

9 — El poder de la Palabra de Dios

1. Mateo 21,22.
2. Mateo 18,19–20.
3. Santiago 5,14–16.
4. Mateo 17,20.

10 — El poder de la llamada de Dios

1. Lucas 4,18–19.
2. Lucas 4,21.
3. Juan 14,12.
4. Hechos 6,8.
5. Hechos 5,15.
6. Hechos 19,11–12.
7. Marcos 16,17–18.
8. Marcos 16,15.

Acerca del autor

El propósito y la pasión de la vida de Robert Abel son predicar la verdad de Dios a la generación actual. Vive en Denver, Colorado, donde ayuda a sanar a quien sufre, dándole consejos e impartiendo seminarios de sanación espiritual.

Si deseas que Robert hable en tu parroquia o si te gustaría compartir con él algún testimonio de sanación personal, por favor, contáctalo a través de **www.PoderSanador.com**

Para más información acerca de la sanación emocional

El poder sanador del corazón

por Robert Abel

¿Te sientes alejado del amor de Dios? ¿Buscas la plenitud total de tu vida?

Jesús vino para que tengas vida ¡y la tengas en *abundancia!* Él quiere sanar todas tus heridas y llenar tu corazón de su increíble amor.

En este libro Robert Abel te mostrará cómo establecer una relación más profunda y apasionada con Jesús. Los ejercicios espirituales que ofrecen estas páginas dadoras de vida tienen el poder de romper todas las ataduras que existan en tu vida y de llevar el poder sanador del Señor a todas tus experiencias traumáticas pasadas.

Jesús quiere llevarte en una asombrosa aventura por los rincones más profundos de tu alma. Te está llamando ahora mismo: *"Vengan a mí los que van cansados, llevando pesadas cargas, y yo los aliviaré"*.

¿A qué esperas? Embárcate en la aventura de tu vida. Abre tu corazón y siente la plenitud del extravagante amor de Dios.

Este libro está disponible en tu librería local o en línea en www.PoderSanador.com

72 Páginas — $5.99 U.S.

Si quieres apoyar o ser parte de nuestro ministerio de sanación, propaga el mensaje de *El poder sanador de Jesús* a todas las personas enfermas o que estén sufriendo que conozcas. Para adquirir más ejemplares de este libro para servir a los demás o para hacer un donativo, usa la siguiente información.

Ejemplares	Precio de ministerio
5	$29 US
10	$49 US
20	$89 US

Estos precios incluyen impuestos y gastos de envío dentro de los Estados Unidos. Para envíos a otros países, por favor, contáctanos. Gracias por tu generosa aportación.

Envía el pago a:

Valentine Publishing House
El poder sanador de Jesús
P.O. Box 27422
Denver, Colorado 80227